officier et gentleman

STEVEN PHILLIP SMITH
d'après le scénario de Douglas Day Stewart

officier et gentleman

traduit de l'américain par Bernadette Emerich
et Michel Darroux

Éditions J'ai Lu

Ce roman a paru sous le titre original :

AN OFFICER AND A GENTLEMAN

PROLOGUE

Zack Mayo quitta Norfolk, Virginie, peu après son treizième anniversaire. Bien que ce fût dans des circonstances défavorables – il avait perdu sa mère, ses grands-parents étaient trop âgés pour s'occuper de lui et son unique tante ne dessaoulait pas –, il connut, le jour de son départ, l'une des plus grandes joies de sa vie. M. Fowler, de l'école publique, l'avait conduit dans sa voiture sous une pluie glacée jusqu'à l'arrêt des bus en lui recommandant tout le long du chemin de se montrer digne de son établissement, une fois qu'il serait aux antipodes.

Zack avait simplement hoché la tête en souriant; et il souriait encore lorsqu'il serra la main du vieux salaud après que ce dernier lui eut donné son ticket pour Washington, deux billets d'avion, une bande dessinée, une sucette et dix dollars.

Ils sont peut-être en train de me jouer un tour, se dit Zack qui ne parvenait pas à croire qu'on le laissât filer ainsi. Assis dans le bus, il attendit que Fowler ou l'un des membres du personnel vienne le tirer de là pour le reconduire dans le froid et puant établissement dont il venait à peine de sortir. Quand le bus démarra, il commença à surveiller la route pour repérer la voiture de police qui mettrait fin à sa brève expérience de la liberté. Mais personne ne se manifesta, et six heures

5

plus tard il prenait son baptême de l'air. Lorsque l'avion se posa en Californie, il avait décidé qu'il deviendrait pilote.

A San Francisco, il avait deux heures d'attente. Il se rendit immédiatement au bar où il engloutit un hamburger, des frites, un Coca-Cola et une tablette de chocolat. Puis tout en grignotant quelques *Baby Ruths,* il alla observer les gigantesques avions qui ne cessaient d'atterrir ou de décoller. S'asseoir aux commandes de l'un de ces appareils géants pour se balader aux quatre coins de la terre – sans personne sur le dos pour lui dire sans cesse ce qu'il devait faire ou ne pas faire – devait être fantastique. Il hochait la tête en essayant d'imaginer tout ce qu'il était nécessaire de savoir pour devenir pilote. Ces gens-là, à coup sûr, devaient être des supermen doués de pouvoirs extraordinaires que lui, Zack, ne possédait pas. Il retourna au bar, histoire de se caler l'estomac avec un nouveau hamburger et un *coke,* puis se dirigea lentement vers la porte d'embarquement, convaincu qu'il ne serait jamais capable de piloter un avion. Il n'arrivait même pas à comprendre comment des machins aussi lourds parvenaient à se maintenir en l'air.

Au cours du vol vers Manille, il finit par trouver le courage de demander à l'hôtesse qui le pouponnait depuis le départ s'il pouvait aller voir le poste de pilotage. Elle lui expliqua que le règlement interdisait formellement aux passagers de pénétrer dans le cockpit; mais vu qu'il faisait nuit et que la plupart des gens dormaient, elle laissa Zack la suivre et regarder par la porte entrouverte pendant qu'elle apportait du café à l'équipage. Le pilote se retourna vers le gamin fasciné par les manettes et les innombrables cadrans lumineux. Il l'observa un instant, décida qu'il n'avait pas l'allure d'un fêlé qui cherche à détourner un avion et lui permit d'entrer dans le cockpit. C'est là qu'il sut qu'il deviendrait pilote, lui aussi. Il devrait travailler d'arrache-pied à l'école, aller au collège et suivre une période d'entraînement dans l'armée, tout comme ce pilote. Mais à présent, il se sentait capable de tout cela. Il haïssait les études, mais l'idée qu'elles allaient lui servir à quelque chose changeait tout. De plus, le commandant et son copilote lui étaient apparus comme des gars tout à fait ordinaires. Zack rejoignit son fauteuil, s'endormit et rêva d'avions.

Dix minutes avant l'atterrissage à Manille, l'hôtesse le secoua. Ses rêves de carrière dans l'aviation firent brusquement place à l'anxiété : il allait rencontrer son père pour la première fois de sa vie. Il se glissa un chewing-gum dans la bouche et tira une série de vieilles photos de sa poche. Les clichés avaient été pris quelque quatorze ans plus tôt – sûrement par un photographe ambulant lors d'un carnaval – et elles représentaient toutes sa mère (beaucoup plus jeune qu'il ne l'avait jamais vue) dans les bras d'un beau marin. Zack se demanda à quoi ressemblait son père à présent et quel genre de vie il allait mener avec lui aux Philippines. Il se rassura très vite à l'idée que, de toute façon, ce ne pourrait jamais être pire que l'orphelinat. D'autre part, il n'avait pas le choix.

L'hôtesse lui donna un baiser d'adieu et Zack s'engagea sur la passerelle, sa valise contenant tous ses maigres biens dans une main et les photos dans l'autre. Il était presque arrivé en bas des marches quand il repéra le marin qui l'attendait au milieu du groupe de personnes venues accueillir les passagers. A sa grande surprise, l'homme n'était pas beaucoup plus vieux que sur les photos et il se demanda un instant si c'était bien son père.

Le marin s'avança et lui adressa un sourire crispé :
– Tu es Zack ?
– Oui, monsieur, répondit simplement ce dernier.
– Quand j'ai vu l'hôtesse t'embrasser, je me suis douté que t'étais mon fils. (Il le débarrassa de sa valise et lui serra la main.) Je suis Byron. Enchanté de te connaître.

– Oui, monsieur.

– Allez, viens, nous allons prendre tes bagages.

– Je n'ai rien d'autre que ça, dit Zack.

– Tu voyages léger, hein! plaisanta son père en lui donnant une claque dans le dos. Parfait, c'est comme moi. Rien dans les mains, rien dans les poches! C'est un bon moyen pour ne pas se faire couillonner, mec.

– Oui, monsieur.

– Tu as faim?

– Non, monsieur.

– Alors, en route pour Olongapo! Autant que tu fasses connaissance tout de suite avec la face cachée de l'Orient. J'espère que tu ne regretteras pas d'être venu ici.

– Je ne regretterai pas, affirma Zack.

Après le vol glorieux qu'il venait de faire, il se sentait prêt à affronter n'importe quoi. Ils montèrent dans un petit car – un Jeepney, dit son père – qui prit le chemin d'Olongapo. La décoration clinquante et surchargée du véhicule (c'était la première fois qu'il voyait un bus décoré de cette manière) ainsi que le caquetage incessant des petits Orientaux l'étouffaient et l'excitaient en même temps. Certains des Philippins étaient en costume et cravate, d'autres portaient de rudes vêtements de paysan. Il y avait même une vieille femme qui tenait sur ses genoux une cage dans laquelle gloussait une poule.

Zack se tourna vers son père et découvrit que ce dernier l'observait avec un drôle d'air. Zack lui fit un petit sourire, puis il reporta son attention sur le paysage.

Au bout d'un moment, Byron se pencha vers lui et lui donna une petite tape sur la cuisse.

– Hé, fils, pourquoi n'enlèves-tu pas cette veste? Tu es aux Philippines ici. Tu peux même carrément la foutre en l'air.

Tandis qu'il l'aidait à la retirer, Zack se rendit

soudain compte qu'il faisait une chaleur intenable. Ses vêtements étaient trempés de sueur.

– Ça fait une trotte depuis Norfolk, hein, fils?

– Tant mieux! ça ne sera jamais assez loin, renchérit Zack.

Le Jeepney s'arrêta et quelques fermiers descendirent. On reprit la route et ils restèrent un moment silencieux; puis Byron toucha l'épaule de son fils :

– Je suis désolé pour ta maman, tu sais. C'est une belle vacherie.

Zack hocha la tête. Il allait essayer d'oublier tout ça, de recommencer une vie nouvelle.

– J'aurais bien voulu te faire venir plus vite, mais impossible! J'étais en mer.

– Cela fait quatre mois que je t'ai prévenu, souffla Zack qui, pour la première fois, se sentit irrité contre son père.

Byron haussa les épaules.

– C'est exactement le temps que j'ai passé en mer.

Le minibus stoppa à nouveau et d'autres passagers descendirent. Au bord de la route, un panneau indiquait : *Base navale U.S., SUBIC BAY, 12 miles.*

– C'est si bon de rentrer chez soi, fit Byron.

Zack se figurait être au courant de tout après avoir passé sa jeunesse à Norfolk où les marins dépensaient leur solde en se saoulant et en montant avec les putains. (Il était assez grand pour savoir ce qu'ils faisaient avec elles et s'était souvent battu avec des congénères qui affirmaient que sa mère gagnait sa vie en faisant la même chose.) Mais si, à Norfolk, un minimum de discrétion était de mise, ici au contraire tout se passait au grand jour. La longue rue défoncée par la pluie était bordée des deux côtés par des bars minables et des bordels aux murs en bambou. Des marins ivres se penchaient par les fenêtres du minibus et hurlaient pour appeler des copains, des putes ou simplement pour le plaisir de crier.

– Ça, ce sont des travelos, expliqua Byron en lui montrant du doigt deux Philippins encore plus petits que les autres et habillés comme de très élégantes jeunes filles.

Zack les observa un instant, puis lança un regard curieux à son père. A Norfolk, il avait entendu parler de ce genre de détraqués – certains de ses potes, plus vieux que lui, racontaient même qu'ils leur faisaient parfois une tête –, mais il n'avait jamais rien vu de tel.

Byron haussa les épaules.

– Les marins sont des hommes comme les autres. Il y en a qui ont des goûts bizarres. Mais pas moi, en tout cas!

Il siffla deux prostituées qui flânaient à l'entrée d'un hôtel baptisé *Le Rêve californien*. Les deux filles portaient des corsages qui ne cachaient pas grand-chose de leurs seins, et l'une d'elles fit un signe de la main à Byron tandis que l'autre se passait une langue gourmande sur les lèvres. Son père prit Zack par les épaules et lui souffla :

– J'ai toujours eu un faible pour les dames, mon petit Zack.

Zack aurait aimé que sa mère entende ça.

– Je pense que tu n'as pas encore perdu ton pucelage, hein? poursuivit Byron. (Zack détourna les yeux et sentit ses joues devenir écarlates.) Ne t'inquiète pas, va, nous allons nous occuper de ça au plus tôt.

Le Jeepney s'arrêta en face d'un bar, *Le Refuge de l'Indiana,* et Byron sauta à terre.

– Nous y sommes, fiston, c'est là que je crèche!

Zack regarda l'établissement en hochant la tête. C'était sans conteste le bâtiment le plus délabré de tout le pâté de maisons. Le vieux Philippin qui se tenait derrière le comptoir accueillit chaleureusement son père et des filles lui firent un petit signe de la main. Plusieurs marins étaient occupés avec les entraîneuses et au moment où ils traversaient la pièce, Zack vit l'une d'elles glisser sa main dans le pantalon d'un grand gaillard en uniforme. Byron écarta deux ivrognes vautrés dans les escaliers, puis se retourna pour aider Zack à les enjamber.

– Si j'étais moins souvent en mer, je prendrais quelque chose de mieux, expliqua-t-il l'air gêné.

Zack acquiesça en silence et suivit son père dans les escaliers. Il comprit alors qu'il avait bien fait la moitié du tour de la terre. Une forte odeur d'urine flottait à l'étage, mais cela n'avait pas l'air de déranger Byron qui ouvrit une porte et s'arrêta sur le seuil en secouant la tête.

Zack regarda à l'intérieur de la chambre : deux filles en petite tenue étaient allongées en travers du grand lit. Il les observa, fasciné.

– Et alors! dit Byron. Je croyais que vous deviez aller faire des courses.

Les filles eurent un petit rire.

– Bon, alors maintenant, vous allez vraiment faire vos courses. (Il attrapa son portefeuille et en tira un peu d'argent.) Tiki, Maria, je vous présente mon fils, Zack.

– Salut, dit Zack tandis que les deux prostituées continuaient à glousser tout en s'habillant.

Il se demanda s'ils allaient vivre là-dedans tous les quatre et s'il devrait passer la nuit avec l'une d'elles sur le petit divan qu'il apercevait dans un coin. Ce qui l'inquiétait surtout, c'était que si son père le regardait il n'y arriverait peut-être pas.

Elles sortirent. Byron se laissa tomber dans le confortable fauteuil qui se trouvait à côté du lit, alluma une cigarette, puis déclara :

– Je pense que tu pourras dormir sur le divan et aller à l'école de la base.

– Parfait, dit Zack.

– Je n'ai pas fini. (Le visage de Byron s'était soudain durci.) Je ne passe qu'une semaine par mois à terre et quand je serai là, je n'ai pas envie que tu me fasses

11

tenir le rôle du gentil petit papa. Ça n'est pas mon genre.

Il tira une longue bouffée sur sa cigarette et envoya un lourd nuage de fumée vers le plafond.

– Jusque-là, je m'en suis très bien passé, répliqua calmement Zack.

Byron renifla.

– Un petit dur, hein? En tout cas, je continue à penser, comme je te l'ai dit au téléphone, que pour toi cela aurait été mieux de rester en Virginie, dans cette école de l'Etat.

– Je ne remettrai jamais les pieds là-bas, monsieur.

Byron fixa le sol un moment.

– Il le faudra bien pourtant, fils. (Puis, relevant soudain la tête :) C'est moi qui vais le dire à ta place : je vis dans un bordel.

– Je m'en étais rendu compte.

– Et il se trouve que cela me plaît. Personne ne me fera changer de mode de vie.

Zack détourna la tête en se mordant la lèvre pour ne pas pleurer. Son copain Neshitt lui avait exactement prédit comment cela se passerait. Il n'avait rien à attendre d'un père marin d'eau douce et coureur de jupons. Il se débrouillerait donc tout seul. Il se pencha, saisit sa valise et planta ses yeux dans ceux de Byron.

– Je me fous complètement de ton mode de vie et ça n'est sûrement pas moi qui vais tenter de le changer. La seule chose que j'ai à te dire, c'est que je ne retournerai jamais dans cette école. Tu ne veux pas de moi? Parfait. Je trouverai autre chose.

Il sortit et s'élança vers l'escalier. Il entendit aussitôt Byron arriver sur le palier. Zack ne ralentit ni ne se retourna.

– Hé, fils! reviens!

Zack continua.

– Reviens ici, fils! hurla Byron.

Zack s'arrêta et lui lança un regard interrogateur.

– Pourquoi?

– O.K.! O.K.! tu as gagné!

– Merci, monsieur, répondit Zack avec son plus beau sourire.

Il remonta les escaliers, mais s'arrêta brusquement lorsqu'il vit son père tendre un doigt accusateur vers sa poitrine.

– Arrête de m'appeler « monsieur », pour l'amour de Dieu! Je ne suis pas officier et mon nom c'est Byron.

Zack lui sourit à nouveau.

Ce n'était que le début de l'après-midi et les hommes en bas étaient déjà tous saouls. Ils avaient placé sur le bar un fauteuil à roulettes dans lequel ils prenaient place à tour de rôle. Le siège était poussé vers l'extrémité du comptoir et le jeu consistait à rester assis dessus le plus longtemps possible avant qu'il ne touche le plancher. Les prostituées y allaient de leurs acclamations. Fasciné, Zack se posta au pied des escaliers pour observer la scène. D'après leurs insignes, ces hommes étaient des aviateurs. L'une des filles de Byron passa et Zack la saisit par la main.

– Qui sont-ils, Tiki?

– Des pilotes de chasse qui tirent à chaud.

– C'est ce que je veux faire un de ces quatre.

– Ce sont des gars du porte-avions; ils tiennent quelque chose!

– Le porte-avions est dans le port?

Tiki acquiesça.

– Il faut que j'aille voir ça.

Elle lui montra les pilotes du doigt :

– Tu deviendras peut-être comme eux, mon petit Zackie. Tu voleras à toute vitesse entre deux fesses.

Il éclata de rire et elle lui ébouriffa les cheveux.

– Peut-être bien, dit-il.

– Peut-être bien quoi? demanda Byron.

Il se tenait debout derrière lui, son sac de marin sur l'épaule. Zack indiqua les aviateurs du menton.

– Peut-être que je finirai comme eux.

– Pour ça, il te suffit de boire six bouteilles de San Miguel.

– Je voulais dire : finir pilote.

– Oh, je vois! (Byron prit un air moqueur.) Mais bien sûr, fiston!

– Je parle sérieusement.

– Moi aussi, je veux sérieusement devenir chef d'état-major. (Byron fouilla dans ses poches.) Mais ça n'a pas l'air parti pour. (Il se pencha et lui tendit quelques billets.) Tiens, au cas où tu en aurais besoin. Je ne serai pas là pendant un certain temps. Ne t'inquiète pas. Tiki et Maria veilleront sur toi.

– Merci, Byron, dit Zack en cachant l'argent dans sa chaussure.

– A bientôt, si on ne coule pas!

Son père lui serra la main, embrassa ses deux pseudo-mamans et sortit du bar à grands pas.

Zack observa le manège des aviateurs pendant une bonne demi-heure, puis il quitta *Le Refuge de l'Indiana* pour aller voir le porte-avions. Comme il s'était arrêté devant une boutique de souvenirs, deux gars de son âge qu'il avait déjà remarqués peu avant dans les parages de l'hôtel s'approchèrent de lui.

– Hé, *palequero,* fit l'un d'eux, tu es nouveau aux P.I. (1)?

– J' suis là depuis une semaine.

– Viens avec nous, dit l'autre, on va te montrer des chouettes machins.

– Je ne sais pas si..., hésita Zack.

– On peut vraiment te montrer de drôles de trucs, insista le premier.

– Ouais, fit le second, personne ne connaît ce trou dégueulasse aussi bien que nous.

(1) P.I. : Iles Philippines. *(N.d.T.)*

14

Les deux garçons éclatèrent de rire et l'instant d'après Zack les imitait. Dans un sens, il avait confiance en eux, car ils lui rappelaient ses potes de l'orphelinat.

— O.K., mais juste un petit moment. Après, je veux aller voir le porte-avions.

— Te frappe pas, mec.

— Allons-y!

Ils n'avaient pas fait cinquante mètres que soudain les deux complices le poussèrent dans un passage à l'écart de la grand-rue.

— Arrêtez! dit Zack.

— Arrête toi-même, gros rupin.

— Donne-nous ton fric!

Zack les mesura du regard.

— Je n'ai absolument pas un rond.

Le premier s'avança et le bouscula.

— Merde, on a vu ce marin d'eau douce te le filer.

— Ce n'est pas...

— Sors-le! hurla le second.

Soudain, le premier lui lança un coup de pied dans les couilles. Zack se plia en deux, puis se releva vivement, lui flanqua à son tour un coup de pied qui l'envoya voler contre le mur.

— T'occupe pas, dit l'autre à son pote. (Puis à Zack, avec un petit sourire :) Pas mal, mais tu as encore beaucoup à apprendre.

Il s'avança vers lui et avant que Zack n'ait pu se mettre en garde, il lui plaça un direct à l'estomac et un crochet au menton. Zack tourna sur lui-même, puis reçut un coup de pied en pleine figure. Comme il luttait pour ne pas perdre l'équilibre, il ressentit un choc derrière la tête et tomba le nez dans la poussière. Il sentit bien qu'ils lui ôtaient ses chaussures, mais impossible de réagir. Plus tard, quand il sortit du passage en titubant, il trébucha sur un chien crevé. Il comprit alors qu'il lui faudrait apprendre à se battre et décida que cette défaite serait la dernière de sa vie.

1

Ça n'est pas demain que le monde changera, se dit Zack. T'as beau faire le tour de la terre, dans tous les ports militaires, c'est l'éternelle cohorte de bars sordides et bruyants, d'hôtels borgnes, de marchands de pacotille et de prêteurs sur gages. Cette fois-là, c'était à Seattle tout simplement. Juché sur sa Triumph, Zack démarra en trombe devant le *Seven Seas Locker Club* en levant le pouce vers un marin débraillé, appuyé contre un mur en brique. Il se jeta un coup d'œil dans le rétroviseur. Lui aussi, il avait l'air débraillé. Sa longue tignasse noire flottait au vent et sa barbe avait besoin d'être taillée. Oh, se dit-il, dans deux jours toute cette broussaille aura disparu! De toute façon, il lui restait encore ses beaux yeux bleus. Des souvenirs se pressaient dans son esprit tandis qu'il cherchait l'adresse : sa première rencontre avec Byron, son envie subite de devenir pilote d'avion, la raclée qu'il avait reçue aux Philippines. Presque dix ans déjà!

Il trouva enfin le numéro, fit un demi-tour au milieu de la rue et se gara devant un hôtel crasseux. Bon sang, comment Byron pouvait-il continuer à vivre de cette manière sans craquer? Zack secoua la tête, tira son *Levis* sale sur ses bottes crottées, prit sa musette et pénétra dans le bâtiment. Toujours la même devise : rien dans les mains, rien dans les poches. Pas de doute, je suis bien le fils de mon père, songea-t-il en gravissant l'escalier.

Au second étage, il y avait une porte ouverte. Il

entr'aperçut une femme mûre assise sur un vieux matelas, un enfant négligé sur les genoux. Un uniforme de marin traînait sur une chaise. Le marin fit soudain son apparition et lui claqua la porte au nez. « Va donc! », fit Zack en s'éloignant. Il s'arrêta devant une autre porte toute déglinguée, extirpa une vieille carte postale de sa poche, la relut, puis frappa avec autorité. « Contrôle des douanes! Contrôle des douanes! » Il recula d'un pas, hilare.

Deux secondes plus tard, la porte s'ouvrait brutalement et Byron apparaissait. Il essayait maladroitement de dissimuler sa nudité sous un petit kimono. Derrière lui, assise toute nue sur les draps froissés, une prostituée qui était loin d'avoir vingt ans le regardait en haussant les sourcils.

— Un de ces quatre, Byron, tu auras une attaque cardiaque avec ces jeunes créatures.

Stupéfait, Byron dévisagea son fils, puis un sourire chaleureux s'épanouit sur sa face.

— Zack, mon petit salaud! s'écria-t-il. T'as pas changé d'un poil!

— Toi non plus, fit Zack en indiquant la putain d'un signe de tête.

Les deux hommes s'esclaffèrent et se donnèrent une accolade virile comme deux vieux potes qui ne se sont pas vus depuis longtemps. Puis Byron fit un pas en arrière :

— Bon Dieu, t'as l'air... euh... en pleine forme.

— Toi aussi! Comment vas-tu?

— Jamais été aussi bien, répondit-il en se tapant l'estomac. (Il passa un bras autour des épaules de Zack et le fit entrer dans la pièce.) Hé, mon chou, regarde-moi ça! C'est mon fils! Il est pas beau, dis-moi?

— Bonjour, fils de Byron!

— J' m'appelle Zack, fit-il.

— Caroline, fit-elle.

— Enchanté!

– T'aurais dû appeler, dit Byron en lui donnant une claque dans le dos.

– Tu étais en mer. (Il se caressa la barbe en observant son père.) Devine un peu ce qui m'arrive?

– T'es marié?

– Des clous!

– T'as des ennuis avec la loi?

– Je regrette, vieux. J' suis diplômé. Je l'ai eu, ce sacré diplôme!

Byron lui lança un long regard soupçonneux.

– Tu t' fous de ma gueule?

– J'essayerais pas. T'as trop bourlingué!

– J' croyais que t'avais laissé tomber. La dernière fois que j'ai entendu parler de toi, tu partais pour le Brésil travailler dans le bâtiment ou un truc de ce genre.

– J' me suis fait un peu de blé comme ça, c'est vrai. Après je suis entré dans une autre école, et j'ai réussi. J'étais pas un crack, mais enfin j'y suis arrivé.

– Bon Dieu! fit Byron.

– T'aurais dû me voir en uniforme!

– Bordel, pourquoi tu m'as pas invité? J' serais venu.

Zack lui jeta un regard sceptique.

– Arrête de déconner.

– J' te dis que je serais venu. (Byron se retourna brusquement vers Caroline.) Hé! mon chou, décroche le bigophone. Appelle une de tes copines... cette Gloria... celle aux gros nichons. On va fêter ça! (Byron se gonfla d'orgueil.) Hé, t'as entendu ça? Mon fils est diplômé!

Caroline secoua la tête, sourit à Zack, puis se leva langoureusement et composa un numéro.

Ce n'était pas la première partouze que Zack faisait avec son père, mais il décida, alors qu'il sombrait dans la défonce, que ce serait la dernière. En arrivant, il savait pertinemment ce qui allait se passer; il était prêt à s'y soumettre une ultime fois comme s'il s'agissait d'une espèce de rite de purification marquant l'entrée dans sa nouvelle vie. Comment Byron pouvait-il supporter cette existence de forçat à perpétuité? Les deux hommes chevauchaient dans le même lit les prostituées chargées de vin et d'herbe. Il prend vraiment son pied, songea Zack en regardant son père du coin de l'œil. Une vague de nausée l'envahit. Ecœuré, il se mit à détailler les singes en bois que Byron avait ramenés des Philippines. Ils étaient faiblement éclairés par trois bougies plantées sur des assiettes posées sur une sorte de bureau.

Plus tard, alors qu'ils étaient tous les quatre étendus côte à côte, Gloria donna un coup de coude à Zack :

— Vous vous foutez de notre gueule, vous deux. Vous n'êtes pas père et fils!

— T'as raison, fit Byron. On se fout de vous. Qu'est-ce qui se passe avec ce joint?

— Je crois qu'il est terminé, dit Caroline.

Byron se pencha par-dessus Zack et Gloria pour prendre le cendrier posé sur la table de nuit.

— Paré, *palequero,* dit-il à son fils.

Zack dormait presque. Mais l'air égrillard de Byron le secoua de sa torpeur.

— Paré, *palequero,* répliqua-t-il. Jamais *hochi* aux P.I.

Byron éclata de rire :

— De quoi qu' tu causes, matelot? Dix petits dollars seulement, et tout c' que tu voudras!

Byron s'esclaffa de plus belle et, malgré lui, Zack aussi. Le fou rire gagna les deux filles. La dernière chose qu'il se rappela de cette nuit-là, ce fut eux quatre dans le lit en train de hurler de rire en se passant le joint.

Il s'éveilla le matin, empêtré dans les draps, la tête lourde, la bouche pâteuse. Gloria lui soufflait son haleine empestée dans les narines. Après s'être dégagé doucement de ses bras, il s'extirpa du drap crasseux, se leva et enfila son short. Lorsqu'il vit la chambre, il pensa vomir : cendriers renversés, bouteilles de vin vides et les trois autres à poil en train de ronfler. Se reprenant, il se dirigea vers la salle de bains. Quand Byron le rejoignit en titubant, il en était à sa troisième aspirine et à son deuxième verre d'eau. Son père l'écarta brutalement et sans plus de cérémonie dégueula dans le lavabo. Ecœuré, Zack écouta le vieux refrain de ses râles d'agonisant. Byron lui jeta un œil furieux.

– De quoi tu t' mêles ?

Zack ne répondit pas.

– Passe-moi la serviette !

Il s'exécuta.

Byron se redressa en s'essuyant la bouche et contourna son fils pour saisir une bouteille de Lavoris dans l'armoire à pharmacie.

– Y a rien de mieux, affirma-t-il en portant un toast à son fils. (Puis il se gargarisa et recracha le liquide rouge et mousseux.) Quelle longue nuit ! Fantastique, non ? fit-il en lançant un coup de coude à Zack qui haussa les épaules sans rien dire.

– D'accord, ajouta Byron, ça n'avait rien à voir avec les trois hôtesses de Manille ; mais quand même, c'était pas mal !

– C'est vrai, dit Zack en prenant lui aussi une gorgée de Lavoris.

– Et maintenant ? demanda Byron.

– Quoi, maintenant ?

– Eh ben... qu'est-ce que tu vas faire ? Je t'ai pas encore demandé pourquoi t'es venu à Seattle.

Zack s'adressa un grand sourire dans la glace.

– Attention, prépare-toi ! Celle-là, elle va t'en ficher un coup.

Byron renifla.

– Zackie, tu ne peux plus m'étonner.

– Je vais m'engager dans l'armée, annonça-t-il en se caressant la barbe.

– Quoi? Bon Dieu...

Byron abaissa le siège des cabinets et s'assit dessus.

– T'en reviens pas, hein? dit Zack en riant.

– Toi? Dans l'armée? J'y crois pas!

– Crois-le, vieux! Tel que tu me vois, je suis en route pour l'Ecole des Officiers de Port Rainer.

Byron fixa le plancher.

– Une école d'officiers, murmura-t-il. Pour quoi faire, bon sang?

– Pour piloter des jets. Pour être l'enculeur le plus rapide du monde. Tu viendras me rendre visite, Byron. En bus, tu en as à peine pour deux heures.

– J' sais bien où c'est. (Byron le regarda.) Qui c'est qui t'a fichu cette idée dans le crâne?

– Y a longtemps que je l'ai.

Byron gloussa.

– J' n'y crois pas... Bon sang! Toi dans l'armée? Et officier par-dessus le marché? Ça alors! C'est comme si tu me disais que j'allais me présenter aux élections présidentielles.

Zack se sentit rougir.

– Ce n'est pas si mal que ça, dit-il d'une voix faible.

– Merde! Regarde-toi! (Byron désigna son bras.) Ça ne me plaît pas du tout de te dire ça, mais les officiers n'ont pas de tatouages!

Une quinte de toux arrêta net son rire, et il dut se lever pour cracher dans les cabinets.

– Ecoute, vieux, dit Zack. On se reverra plus tard.

Il retourna dans la chambre et commença à s'habiller. Byron le suivit en s'essuyant la bouche du revers de la main.

– Hé, fiston! sois pas vexé. J' te comprends. Mais j' voudrais pas que tu fasses quelque chose que tu regretteras plus tard.

– Je ne regretterai rien. (Zack enfilait ses bottes.) Je veux devenir quelqu'un!

– Oh! doux Jésus! Il faudra que tu leur fasses

cadeau de six années de ta vie pour devenir pilote. Six ans avec les pires salauds de la terre! Les officiers ne sont pas comme toi et moi. Rien à voir. C'est une autre race.

Zack espérait bien que c'était vrai.

— Eh bien quoi, patron? T'as peur d'être obligé de me saluer?

— Foutre non! rugit Byron. (Les filles s'étaient réveillées et observaient les deux hommes.) Crois-tu que je fais attention à ce genre de conneries?

— J'en sais rien, moi. (Zack observa son père.) Alors... à bientôt.

Il ramassa sa musette, sortit et suivit le couloir.

— Hé, qu'est-ce que tu veux? hurla Byron de la porte d'entrée. Une grande claque dans le dos? Des félicitations?

Zack se retourna.

— De toi, vieux? Jamais *hochi*. (Il repartit pour s'arrêter aussitôt, regarda son père encore une fois.) Merci pour ton cadeau!

Au bas des escaliers, il entendit Byron crier :

— Zackie, sois pas fâché!

— Penses-tu! murmura Zack.

Il enfourcha sa Triumph et fonça au hasard pendant presque une heure dans l'air vif du matin pour chasser de son cerveau les brumes de la nuit. Il s'arrêta enfin dans un motel où il prit un énorme petit déjeuner. Non, il n'était pas fâché contre son père. Il savait qu'il le reverrait bientôt, peut-être même avant la fin de sa session, mais ce qui l'agaçait, c'était d'être son copain, et surtout son copain de bringue. Sa vie manquait d'envergure. Ce n'étaient que piaules dégueulasses, cuites carabinées, petites putains minables avec, au bout du compte, le dégueulis dans les chiottes au matin. Pas question que Zack Mayo finisse comme ça! Il avait sans doute bourlingué d'un collège à l'autre à cause de son foutu caractère, mais il s'était cramponné, soutenu par le désir inébranlable de devenir pilote, et à présent il touchait au but. Quelques mois d'entraînement et il entrerait à l'école de pilotage. Les gens qu'il allait fréquenter ne faisaient sûrement pas de partouzes avec leurs pères, eux. Non, maintenant, il allait devenir un officier, et un gentleman !

Il loua une chambre et fit un somme. Puis, dans l'après-midi, il alla courir huit bons kilomètres. Il voulait être en grande forme quand, demain, les instructeurs prendraient sa destinée en main. Ils seraient durs, se dit-il un peu plus tard en se rasant, et ils le briseraient à la première occasion. Mais il avait assez fréquenté les militaires pour savoir que tout cela n'était qu'un jeu et que quoi qu'on lui fasse, il ne devait pas le prendre comme quelque chose de dirigé spécialement contre lui. C'était le secret pour s'en tirer. Les sergents instructeurs étaient là pour évincer les faibles, et Zack ne se connaissait pas de faiblesses – en tout cas pas de celles qui auraient pu l'empêcher de devenir pilote. Il n'était pas génial en maths et en sciences, mais il avait l'esprit vif – très vif même lorsque c'était nécessaire. Et il avait dans l'idée que c'était le plus important pour piloter un avion à réaction. De toute façon, il fallait qu'il réussisse. Il était arrivé trop près du but.

2

Le lendemain matin, il fit sa gymnastique puis se rasa de nouveau. Toutefois, il ne chercha pas à cacher la longueur de ses cheveux. Ça ne serait pas plus mal qu'on le classe tout de suite dans les fortes têtes. Mais il ne faut pas exagérer, se dit-il en enroulant une bande sur le tatouage de son bras. Byron avait sûrement raison sur ce point : les seuls officiers tatoués qu'il ait jamais vus étaient sortis du rang. Zack haussa les épaules : lui aussi, il sortait du rang d'une certaine manière. Il glissa ses accessoires de toilette dans son sac qui contenait déjà un peu de linge et une petite boîte de souvenirs – ce n'étaient pas les bons souvenirs qui risquaient de l'encombrer –, puis après un dernier coup d'œil dans la glace, il mit son sac sur l'épaule et quitta la chambre.

Au moment où il franchissait la grille de l'immense base, son regard rencontra un panneau qui disait : *L'avenir de la navigation aérienne passe par cette porte.* « Parfaitement exact, mon vieux », murmura Zack. Il était tellement occupé à regarder les avions rangés sur une piste qu'il faillit quitter la route. « Doucement, petit », se dit-il à voix haute en s'arrêtant à un carrefour pour laisser le passage à un groupe d'aspirants dépenaillés qui couraient au petit trot. De l'autre côté de la route, deux sections s'entraînaient au maniement des armes. De la bagatelle, tout ça, pensa Zack, nullement effrayé. Il avait connu un tas d'officiers du Corps d'Entraînement, aux Philippines surtout, et il se répétait : « Avant tout, ne pas prendre les choses comme si j'étais spécialement visé. »

Un chasseur Tomcat F-14 avait été placé en guise de sculpture en face du bâtiment de l'administration. Zack se gara et descendit lentement de sa moto sous le regard d'un lieutenant qui portait des lunettes de soleil d'aviateur. Au bout d'un moment, l'homme lui demanda :

– Qu'est-ce que je peux pour toi, fiston ?

– Je suis aspirant de l'Ecole de formation des officiers de l'Air, monsieur, répondit-il fièrement.

Le lieutenant tendit un doigt par-dessus son épaule :

– Tu n'as qu'à rejoindre les autres civils, là-bas près des arbres.

Zack jeta un coup d'œil sur ses futurs compagnons, puis sourit au lieutenant :

– Merci, monsieur.

– Quand tu auras fait la connaissance de Foley, tu n'auras plus envie de me remercier.

– J'espère que si.

Il avait parcouru la moitié de la distance qui le séparait du bouquet d'arbres quand il vit arriver une Audi 5000 d'où sortit une jeune fille. Après avoir embrassé un homme et une femme plus âgés, elle alla demander un renseignement au lieutenant. Elle avait le corps mince et athlétique d'un coureur à pied et son joli visage ne portait pas la plus petite trace de maquillage. Comme elle se rapprochait, Zack lui adressa un sourire :

– L'avenir de l'aviation?

– J'y compte bien, lui dit-elle. J'espère que ce n'est pas sur tes épaules qu'il repose.

– Ça, on verra plus tard.

– Ouais, on verra, dit-elle en s'éloignant.

La plupart des hommes observaient eux aussi l'arrivée de la jeune femme qui rejoignit rapidement ses cinq consœurs regroupées un peu à l'écart. Les hommes étaient une trentaine. Zack s'approcha d'un grand costaud :

– J'ai l'impression que cette armée moderne va me plaire, lui lança-t-il.

Le gars lui adressa un immense sourire et hocha la tête d'un air enthousiaste :

– Ouais! ça a l'air pas mal.

Puis soudain, son expression changea. Plusieurs aspirants se mirent à piétiner nerveusement sur place. Zack se retourna.

Un *Marine* noir en uniforme de sergent, le visage soucieux, venait vers eux à grands pas. Il s'arrêta avec un claquement de talons près d'une ligne blanche peinte sur le sol à quelques mètres de là, et il les observa un moment, l'air parfaitement méprisant. Son uniforme était impeccablement repassé, ses bottes impeccablement cirées, la boucle de son ceinturon impeccablement polie. Il portait un jonc sous le bras.

— Rassemblement! hurla-t-il soudain.

Et c'est parti mon kiki! se dit Zack.

— Vous êtes sourds, misérables vers de terre? aboya le sergent. Les talons sur cette ligne blanche! Allez, grouillez-vous! Ar-A-Vous!

Les talons de Zack furent les premiers sur la ligne.

Il jeta un rapide coup d'œil à gauche puis à droite, pour voir les autres se mettre maladroitement en position, avant de fixer le vide, droit en face de lui. Il avait eu le temps de noter le nom du sergent : Foley.

Ce dernier détaillait les aspirants en hochant la tête, comme quelqu'un qui n'en croit pas ses yeux.

— Mais qu'est-ce que c'est que ce ramassis de petits culs en guenilles qu'on m'a refilé? (Il cracha sur le sol cimenté.) Bon! quand je demande « Compris? », je veux que vous répondiez « Oui, monsieur », bande de dindons et de dindes! Compris?

— Oui, monsieur. (Cela manquait d'ensemble.)

— Plus fort! hurla Foley.

— Oui, monsieur!

Foley fit un brusque demi-tour et observa un moment les bureaux de l'administration, puis il se tourna de nouveau vers les recrues.

— Je n'arrive pas à y croire! Mais d'où est-ce que vous sortez tous, d'une orgie ou quoi?

Zack dut faire un effort pour ne pas sourire.

— Vous avez sans doute passé tout votre temps à écouter Mick Jagger et à déblatérer contre votre pays, hein!

Il se mit à longer les rangs en scrutant de tout près les visages des nouveaux venus. On eût dit qu'il voulait les transpercer pour découvrir le point faible de chacun. Il s'arrêta en face d'un autre Noir.

— Ton nom?

— Perryman, monsieur!

— Arrête de me regarder avec ces yeux ronds, Perryman. Tu n'es pas digne de regarder tes supérieurs dans les yeux. Utilise ta vision périphérique. Tu as compris?

— Oui, monsieur! hurla Perryman.

Foley se retourna vers le groupe. Il semblait soudain un peu plus humain; il avait même un petit sourire aux lèvres.

— Mes amis, nous ne sommes pas idiots ici. Nous savons tous très bien pourquoi vous êtes là. Mais avant que vous puissiez revendre ce que nous allons vous apprendre aux Lignes aériennes américaines, vous devrez offrir six jolies petites années de service à la Navy. Il peut s'en passer des choses en six ans, mes agneaux. On pourrait même bien avoir une nouvelle guerre. Et s'il y en a parmi vous qui auraient des scrupules à lâcher du napalm sur des villages bourrés de femmes et d'enfants, ne vous inquiétez pas, je les découvrirai. Compris?

— Oui, monsieur! hurlèrent-ils en chœur.

Foley se déplaça à nouveau devant eux. Il s'arrêta cette fois en face d'un gros costaud, voisin de Zack.

— Salut, fils, lui dit-il avec un sourire. Ça va?

— Rien à dire, ça biche, sergent!

Foley le toisa avec des yeux de dément.

— Comment tu m'as appelé?

L'aspirant se mit à trembler.

— Pardon?

— Comment tu t'appelles, mon garçon?

— Worley, monsieur. Sid Worley.

— Comment m'as-tu appelé, Worley?

— Je vous ai appelé « sergent ».

Foley plaça son visage à quelques centimètres de celui de Worley.

— Tu as dit : « sa biche ». Je ne suis pas une biche! La biche, c'est la femelle du cerf! Est-ce que c'est ce que tu voulais dire?

— Non.

– Non, qui? cria Foley.

– Non, monsieur.

– Plus fort, mon agneau!

– Non, monsieur! hurla Worley.

– Tu as envie de me sauter, mon petit? C'est pour ça que tu m'as traité de biche? Tu serais pas pédé par hasard, Worley?

– Non, monsieur.

Foley le fixa un moment en silence, puis il reprit:

– Tu es d'où, mon garçon?

– Oklahoma, monsieur.

– Oklahoma?

– Oklahoma City, monsieur.

Foley secoua la tête:

– Il n'y a que deux choses qui sortent de l'Oklahoma, mon garçon, les ânes et les pédés. Tu es quoi, toi?

Worley ne répondit pas.

– T'as pas les oreilles assez longues; alors tu dois être pédé.

– Non, monsieur, murmura Worley.

– Arrête de soupirer, mon agneau. Tu me fais de la peine, dit le sergent avec un grand sourire.

Zack, tout en sachant que Foley allait lui tomber dessus, laissa échapper un petit rire.

– C'est de moi que tu te moques, tête brûlée? lui demanda le sergent.

– Non, monsieur! s'époumona Zack.

Le visage de Foley se retrouva immédiatement à quelques centimètres du sien. Mais Zack regardait dans le vide, au delà de lui, pas le moins du monde intimidé.

– Arrête de me reluquer comme ça, mon garçon. Sinon je vais t'arracher les yeux et te gratter le cerveau jusqu'à ce que t'en crèves.

Zack continua à fixer le vide sans broncher.

– Ton nom?

– Zack Mayo, monsieur.

Foley le toisa en reniflant et poursuivit :

– Comment diable es-tu arrivé à te glisser jusqu'ici, Mayo ? Je ne savais pas que la Navy était dans une telle dèche. (Puis désignant son bras bandé :) T'es blessé, Mayo ?

– Pas vraiment, monsieur.

– Voyons voir !

Foley tendit la main et arracha la bande. Il sourit à Zack, puis se pencha en avant et étudia l'aigle tatoué.

– Où t'a-t-on fait ça, Mayo ? C'est vraiment du bon boulot.

– Subic Bay, monsieur. Aux Philippines, répondit froidement Zack en cachant son embarras.

– Ça ne m'étonne pas, je reconnais le travail. (Il dévisagea à nouveau Zack.) Un conseil : sois fier de ces ailes, parce que t'en auras pas d'autres en partant d'ici, Mayo-naise, conclut-il avec un sourire entendu.

Puis il passa à la victime suivante.

Zack était plus fâché contre lui-même que contre le sergent. Il n'aurait pas dû cacher ce tatouage. En tout cas, il s'en était bien tiré.

– Tu sors du collège, Della Serra ? était en train de demander Foley à un jeune homme un peu plus loin.

– Oui, monsieur ! répondit l'interpellé en se rengorgeant. Je suis licencié, mention très bien, de l'Institut de Technologie du Texas, monsieur. Premier en maths, monsieur !

– On ne te l'a pas demandé. (Foley attrapa sa baguette et la pointa vers sa poitrine.) Tu vois les petites encoches près du manche ? Chacune correspond à un petit con de collégien que j'ai poussé à la D.V. – en clair, à la démission volontaire. Et le premier que je veux voir foutre le camp d'ici, c'est toi, Emiliano.

Il lui lança un regard diabolique et lui tourna brusquement le dos.

Il se remit à faire les cent pas en face des aspirants en tapant son stick dans la paume de sa main gauche.

– Je m'attends à voir disparaître la moitié d'entre vous avant la fin de la session. Et j'utiliserai tous les moyens dont je dispose – qu'ils soient élégants ou non – pour me débarrasser des cloportes. Souvenez-vous que j'adore voir échouer les petits salopards, et que je ne vous lâcherai pas d'une semelle. Je vous regarderai progresser et ne laisserai rien passer qui serait une faiblesse pour un aviateur. Au bout du compte, il y aura pour certains des places à l'école de pilotage : chacune vaut un million de dollars. Mais personne n'arrivera jusque-là sans être passé par mes mains.

Il leur dédia un sourire parfaitement sadique puis lança brusquement :

– Inspection! Ouvrez vos valises!

Chacun s'agenouilla pour ouvrir son bagage. Comme Foley passait devant la fille que Zack avait remarquée à son arrivée, il planta sa baguette dans ses affaires et la retira avec, à l'extrémité, une petite culotte en dentelle.

– Comment t'appelles-tu, aspirant?

– Casey Seeger, monsieur!

A entendre sa voix, on aurait dit que la fille avait des couilles.

Foley agitait la culotte au bout de sa baguette comme s'il s'agissait d'un petit drapeau.

– Seeger, allons-nous devoir supporter la vision de ta personne en train de courir partout vêtue de *ça* pendant les treize semaines à venir?

Elle tendit la main pour attraper son slip, mais Foley leva la baguette et continua à l'agiter doucement.

– Il y a des filles qui feraient n'importe quoi pour se faire sauter, Seeger. Tu es comme ça? Est-ce que tu vises l'Ecole des officiers pour pouvoir te faire baiser par un maximum de types?

Seeger lui lança un regard glacial, puis elle s'empourpra.

– Monsieur, vous pouvez me crier après si c'est ce que l'on attend de vous. Mais vous n'avez pas le droit de m'insulter, monsieur!

– Pas le droit? (Le visage du sergent se durcit et il s'approcha à quelques centimètres de la fille.) Je t'appellerai sandwich baveux si ça me fait plaisir, ou n'importe comment, tant que la commission n'aura pas décrété que tu es un officier et un gentleman; ce jour-là seulement, je te dirai « monsieur ». (Il la dévisagea encore un moment, puis lui montrant les encoches de sa baguette, il poursuivit:) Si mon langage t'offense, Seeger, tu ferais aussi bien de démissionner tout de suite. La Navy n'est peut-être pas faite pour toi. Parce que je t'avertis : tu vas en entendre d'autres, et des plus salées, dans l'aviation.

Il laissa retomber la culotte en reniflant, puis revint se planter en face du groupe.

– Bien, vous avez cinq secondes pour fermer vos valises et être prêts à partir. (Il prit une profonde inspiration.) Les cinq secondes sont écoulées! Attention... à gauche, gauch! En avant... Arch!

Zack remarqua qu'à part lui, seuls Seeger et Worley avaient été assez rapides pour exécuter les ordres du sergent.

Le coiffeur laissa un peu de cheveux aux femmes. Cela fit plaisir à Zack, encore que dans un sens, s'ils étaient si persuadés que les deux sexes devaient être traités à égalité, ils auraient dû leur mettre la boule à zéro à elles aussi. Della Serra, qui avait les cheveux les plus longs, sortit le dernier et au moment où il descendait les escaliers, Foley l'arrêta, puis s'adressa à tous en désignant le crâne du garçon :

– On dirait vraiment un cul de babouin. Attends un peu que les filles de par ici jettent un coup d'œil sur toi, tête de scrotum!

Toute la section éclata de rire et Sid Worley fut pris d'un tel fou rire qu'on eût dit qu'il ne pourrait jamais s'arrêter. Mais quand il vit Foley marcher sur lui, il redevint brusquement sérieux.

– Tu trouves ça marrant, Worley? Et bien, je vais te dire quelque chose qu'il vaudrait mieux que ta petite cervelle n'oublie pas. Je ne suis pas le seul obstacle sur lequel tu risques de buter dans ce coin. Il y en a même qui se trouvent à l'extérieur de la base. Depuis que la Navy s'est implantée ici, il existe ce que l'on pourrait appeler les *debs* (1) de Puget Sound. De pauvres filles qui prennent le ferry pour traverser le détroit tous les week-ends, et ceci dans un seul et unique but : trouver un mari parmi les aviateurs de la Navy.

Les aspirants le regardaient, l'air sceptique. Quelques-uns poussèrent même des grognements incrédules.

Foley les fit taire d'un geste de la main.

– Voici ce que les debs de Puget vont vous dire : ne t'inquiète de rien, chéri, je prends la pilule. Eh bien, n'en croyez pas un mot, mes agneaux. Ces filles-là feraient ou diraient n'importe quoi pour vous mettre le grappin dessus. (Il marqua une pause pour laisser à ses paroles le temps de porter.) Et une fois qu'elles vous auront pris par les couilles, mes enfants, vous vous retrouverez avec deux nouvelles bouches à nourrir.

Il y eut quelques rires.

– Je sais que ça n'a pas l'air sérieux, continua Foley, surtout dans notre société qui se prétend moderne. Vous êtes des cons de collégiens et vous vous croyez très malins, mais je vous jure qu'avec les debs il vous faudra être un peu plus que malins. Elles s'y connaissent, je vous jure. Et vous, mes agneaux, vous êtes l'objet de tous leurs rêves.

Il fit une nouvelle pause, puis claqua soudain des doigts pour attirer leur attention.

(1) *Deb* : abréviation de « débutante ». *(N.d.T.)*

– Formez les rangs! Il est temps de vous mettre quelque chose de décent sur le dos.

Les debs, se disait Zack en suivant la file dans le magasin d'habillement. Toujours ces foutues debs. Le mot même lui donnait l'impression d'avoir un mauvais goût dans la bouche. Sa mère et ses amies passaient leur temps à parler des debs de Norfolk. Sa mère en avait peut-être même été une. Sinon, pourquoi Byron l'avait-il plantée? Il se fit la réflexion qu'il devait y en avoir à Pensacola, Corpus Christi, San Diego... partout où la Navy était installée. Comme les bars, les boxons et tout le tin-touin. Elles faisaient partie du paysage. Bon, en tout cas, ce n'était pas lui qui se ferait avoir.

Seeger et Worley marchaient devant lui, leur uniforme sur les bras. En haut des escaliers, Foley les attendait avec un grand sourire.

– Alors, comment trouves-tu ma chaîne de montage, Seeger? Vous rentrez d'un côté avec un style, une allure bien à vous, voire une personnalité et quand vous ressortez de l'autre, vous êtes devenus des crevards. (Foley éclata de rire en se rejetant en arrière.) C'est un peu comme ce qui arrive aux aliments, ils rentrent d'un côté bien appétissants et ils...

– Compris, monsieur! hurla Seeger.

– Tu es très vive, très intelligente, Seeger.

Worley flanqua un coup de coude à Zack et lui indiqua du menton une affiche vantant les mérites de l'armée.

– J'étais sûr que ces publicitaires étaient des salauds, souffla-t-il.

Foley les fit mettre en ligne, puis les emmena au petit trot jusqu'aux baraquements. Il les laissa trotter sur place pendant qu'il ouvrait les portes.

– Voilà, mes enfants! C'est ici que vous allez vivre. Je vous présente *Crevarville*. Maintenant installez vos tristes petits culs là-dedans, et que ça saute! Les *crevardes* à gauche, les *crevards* à droite.

Zack sprinta dans les escaliers et repéra tout de suite une porte avec une étiquette sur laquelle étaient inscrits quatre noms : Daniels, Mayo, Perryman et Worley. Il déposa ses affaires sur la couchette supérieure, près de la fenêtre et sauta sur le lit juste au moment où ses compagnons de chambrée entraient. Perryman, le Noir, lui jeta un coup d'œil :

— Qu'est-ce qui te fait penser que c'est ton lit?

— Il nous a dit de nous installer. Et je suis arrivé le premier, non?

Worley balança ses affaires sur l'autre couchette supérieure.

— Comme tu dis, Mayo-naise!

Zack descendit de son lit et les quatre hommes se mirent à ranger leurs effets dans les armoires métalliques. La voix de Foley retentit dans le couloir :

— Rassemblement sur la pelouse dans cinq minutes, et dans vos uniformes de crevards!

Topper Daniels, celui qui avait l'air le plus jeune, vit Perryman enfermer la photo d'une femme et d'un enfant dans son placard.

— T'es marié, mec?

Perryman le regarda un instant avant de répondre :

— Ouais, et c'est même pour ça que je suis là.

Daniels secoua la tête et enfila ses flottants.

— Moi, je n'arrive toujours pas à comprendre ce que je fous ici. J'avais 18 de moyenne au collège de Amherst et j'ai signé pour me faire emmerder par ce demeuré de Foley!

Perryman rit.

— Il joue simplement le jeu, mec, comme tout le monde.

Zack rangeait ses affaires comme un expert et il fut étonné de découvrir que Worley faisait de même. Il lui lança un regard interrogateur.

– Je suis fils de militaire, collègue. Tout comme toi, dit Worley avec un grand sourire.

Zack lui rendit son sourire, puis tira cinq paquets de cartes tout neufs des poches d'un pantalon et les cacha sous une pile de slips.

– Un de ces jours, il faudra que tu me parles de Subic Bay, dit Worley en l'observant.

– Ouais... un de ces jours.

– Ce Foley m'a tout l'air d'avoir fait une ou deux guerres, tu penses pas?

– J'ai vu pis, dit Zack en haussant les épaules.

Sur ce, la voix de leur instructeur retentit à nouveau.

– Rassemblement! Rassemblement, vermisseaux!

Les trente-six aspirants formèrent les rangs à l'extérieur : dans leur nouvelle tenue, ils se ressemblaient tous étrangement – même les femmes. Zack se trouvait à côté de Seeger et devant Sid Worley. Foley était invisible.

– Hé, dit Sid, tu penses qu'il y a du vrai dans ce qu'il a raconté à propos de ces debs?

Zack fit oui de la tête.

– Tu crois vraiment que ça existe encore, ce genre de gonzesses?

– Bien sûr, mon agneau. Mais il aurait dû également mettre en garde ces femelles idiotes contre les gommeux de Puget. (Employant sa vision périphérique, il guetta un sourire sur le visage de Seeger.) Ouais, ils te diront qu'ils ont mis une capote, mais elle aura un petit trou à l'extrémité.

– Très drôle, Mayo, dit Seeger.

– Seeger, Mayo et Worley, foutez-vous à plat ventre et faites des pompes jusqu'à ce que je sois fatigué.

Le trio hésita un instant.

– Obéissez! hurla Foley.

Ils sortirent du rang, se mirent en position et commencèrent. Zack faisait semblant de trouver ça difficile; mais il se savait capable d'en faire une bonne

centaine. Au bout de dix, Seeger commença à fai-
blir.

– Il y a quelque chose qui cloche, See-gare?

– Non, monsieur, répondit-elle d'une voix asthmati-
que.

Zack n'apercevait que le bout luisant des bottes de
Foley, et du coin de l'œil, il vit Seeger s'écrouler à la
seizième traction.

Foley laissa échapper un rire.

– Eh bien, ma petite cigarette en chocolat, j'ai
l'impression que tes membres antérieurs manquent un
peu d'entraînement.

Casey Seeger ne répondit rien.

– Est-ce que je me trompe, See-gare?

– Non, monsieur, dit-elle en cherchant à reprendre
son souffle.

– Faiblarde comme tu es, tu n'y arriveras jamais, tu
sais. Bien, à présent, remets-toi dans les rangs.

Worley s'arrêta et fit mine de se relever.

– Pas toi, ver de terre! cria le sergent. Ni toi ni
Mayo-naise. Vous deux, vous allez continuer jusqu'à
la fin des temps.

– Trente-neuf, quarante, quarante et un..., murmu-
rait Zack.

3

Cela faisait trois ans que Paula Pokrifki travaillait à
la *National Paper Mill*, et il lui arrivait souvent de
croire que la prochaine pile de sacs d'emballage la
rendrait folle. Une nuit, elle avait rêvé que ces sacs lui
fonçaient dessus et l'étouffaient, et lors d'un autre
cauchemar, alors qu'elle essayait de parler, ils s'étaient
échappés de sa bouche comme des chauves-souris. Ne
te laisse pas aller, se dit-elle, raisonne-toi! La journée

était presque finie, mais elle avait décidé de ne plus regarder l'heure à la grosse horloge avant le coup de sirène. Le temps passait plus vite si l'on n'y prêtait pas attention. Une nouvelle pile de sacs tomba sur le tapis roulant. Paula les entassa bord à bord, ficela le tout, puis les poussa sur sa droite. Elle observa Daisy Mill à l'autre bout de la chaîne; elle avait presque cinquante-cinq ans et manquait rarement une journée de travail. Bon sang, comment faisait-elle? Récemment, Paula avait lu dans un journal qu'un ouvrier avait passé vingt-sept ans de sa vie à se peser sur des balances pour en vérifier la précision. Les vieux avaient peut-être raison : on *peut* s'habituer à tout. Mais pas elle, se jura-t-elle. Tout, mais pas ça!

La sirène retentit, et aussitôt le tapis s'arrêta. Paula recula, poussa un profond soupir, puis retira les boules Quies de ses oreilles. Son amie, Lynette Pomeroy, dont le visage s'était soudain animé à l'idée de la soirée à venir, s'approchait d'elle.

– Viens, Paula! Il est 5 heures!

– Je deviens cinglée!

– Alors, allons-y.

Paula suivit son amie vers la sortie. Elle se sentait comme un oiseau qui vient de s'échapper de sa cage.

– Qu'est-ce que tu as? demanda Lynette une fois dehors.

– Je suis tellement triste de quitter ce paradis, c'est tout, répondit-elle.

– C'que t'es drôle!

– Et puis, ce travail me rend si heureuse, ajouta Paula. (Elle fit un petit signe à sa mère qui s'apprêtait à monter dans une vieille Toyota avec Hélène Smith.) Au revoir, maman. A bientôt!

Esther Pokrifki lui renvoya son salut et, l'air triste, s'installa dans le véhicule.

Paula secoua Lynette :

– Allons, viens! Sinon, elle va encore me demander à quelle heure je compte rentrer.

Paula tourna les talons et se dirigea presque au pas de course vers la Falcon déglinguée de son amie.

– Enfin, Paula! Tu as vingt et un ans maintenant, tu peux l'envoyer promener, lui rappela Lynette, une fois qu'elles furent dans la voiture.

– Je le sais bien, et je n'ai pas l'intention de me laisser faire. Allez, partons!

– On y va, on y va. J'ai envie autant que toi d'être là-bas. (Lynette mit le moteur en route et sortit du parking.) Qui est-on censé rencontrer ce soir?

– Les noms se ressemblent tous, il n'y a que les visages qui changent, fit Paula.

Lynette lui jeta un coup d'œil en coin.

– Et ça veut dire quoi?

– J'en sais rien.

Paula regardait les eaux grises du détroit.

– Allons, fit Lynette. Change-toi!

Paula se pencha vers le siège arrière, attrapa sa trousse de maquillage et la cala sur ses genoux. Puis elle tourna le rétroviseur vers elle, dénoua son foulard et enleva ses épingles à cheveux. Elle se peigna longuement en s'efforçant de ne voir que le bon côté des choses. Aller à la base, être reluquée par les gros durs, obtenir (on ne sait jamais) un rendez-vous avec un officier ou un aspirant en mal de compagnie ne l'excitait plus. Ça, c'était le côté négatif. Mais du moins, ça valait encore mieux que de traîner dans les bars de la ville ou de regarder la T.V. sous l'œil méfiant de son père. De plus, de temps à autre, il lui arrivait de rencontrer quelqu'un d'intéressant, de bien élevé, venant d'une autre partie du pays, et qui lui apprenait quelque chose.

Une fois qu'elle eut fini de se peigner, elle se glissa au fond du siège, enleva sa blouse et passa sa robe disco, vert émeraude. Enfin, elle retira ses jeans, les replia, puis les posa sur le siège arrière.

– Oh, t'es splendide! fit Lynette.

Paula lui sourit.

– T'en as pas marre, des fois, dis?

Lynette désigna du pouce la fabrique de papier et la ville dans leur dos.

– C'est de ça que j'ai marre. Je n'ai pas l'intention de finir mes jours ici.

Paula l'approuva d'un signe de tête. Elle aussi voulait s'en sortir, mais elle avait abandonné l'idée d'épouser un aviateur qui l'emmènerait au loin. Dans un an, elle aurait mis assez d'argent de côté pour s'offrir un voyage ou bien s'installer ailleurs et recommencer des études techniques sans doute. Ses diplômes n'étaient pas exactement ceux qui lui permettraient d'entrer à Harvard. Mais du moins pourrait-elle ainsi plus facilement faire ce qui lui plairait. Peut-être s'inscrirait-elle au cours de pilotage, comme certaines filles le faisaient maintenant.

Sur le ferry, elles échangèrent leurs places et Lynette se pomponna à son tour. Elle avait un air presque recueilli lorsqu'elle s'apprêtait pour se rendre à la base.

Elle aurait dû comprendre depuis longtemps que les gars ne venaient pas à Port Rainer pour y trouver une épouse. Et même s'ils en cherchaient une, ce n'étaient pas des filles dans leur genre qui risquaient de les intéresser, se disait Paula. Mais elle refusait de s'attarder là-dessus. Amuse-toi et rigole bien, un point c'est tout. « Tu es très belle », dit-elle à son amie. La chevelure blonde de Lynette était impeccable et sa robe pourpre dégageait largement ses seins généreux. Paula était d'un gabarit inférieur, mais elle se consolait à l'idée que les petites femmes vieillissent mieux.

La base, comme à l'ordinaire, était propre comme un sou neuf. Les vieux baraquements repeints en blanc et en vert étaient posés tels des champignons sur les pelouses drues et bien tondues. On aurait cru que les rues et les trottoirs avaient été lavés à grande eau. C'était sans doute vrai, d'ailleurs. Ainsi va le monde, songea Paula. Et se faire de la bile ne sert à rien. « Voici Nellie », dit-elle en désignant une femme d'une cinquantaine d'années, l'assistante sociale de la base, qui palabrait avec un jeune officier sur le perron d'un bâtiment.

Lynette gara la voiture et s'empara de la pile de disques qui se trouvait sur le siège arrière, puis elles descendirent et allèrent saluer l'assistante.

Cette dernière désigna le jeune lieutenant :

– Permettez-moi de vous présenter l'enseigne Burns. Timothy Burns, de Milwaukee, dans le Wisconsin. Voici Paula Pokrifki et Lynette Pomeroy.

– Enchanté de faire votre connaissance, fit-il en lorgnant le décolleté de Lynette.

Elles le saluèrent toutes deux.

– Eh bien, merci beaucoup, madame Rufferwell, ajouta-t-il en lui donnant une poignée de main. (Puis aux deux filles :) A bientôt, j'espère.

– Nous l'espérons aussi, fit Lynette, tandis que Paula se contentait de sourire.

– Quel charmant jeune homme, dit Mme Rufferwell après son départ.

Lynette lui tendit les disques.

– Merci beaucoup. Mais j'espère que vous n'avez pas fait tout ce chemin juste pour m'apporter ça, jeunes filles.

– Non, m'dame, dit Lynette. Nous avons l'intention de passer la soirée au Club des Officiers.

Nellie leur adressa un sourire approbateur.

– A plus tard, lui dit Paula.

– Salut, les filles, et merci encore. Au fait, *l'Ange Bleu,* c'est le mois prochain. Si cela vous intéresse, faites-le moi savoir.

– Fantastique! dit Lynette.

Elles firent demi-tour et descendirent l'escalier.

Zack venait de compter sa soixantième pompe lorsqu'il entendit Sid murmurer :

– Oh, bon Dieu !

Il lui jeta un coup d'œil en se demandant si le grand Okie (1) se sentait mal.

– Quoi ?

Sid continuait à faire des tractions, mais son regard était dirigé vers l'autre côté de la rue :

– Vise-moi un peu ça !

Zack releva la tête et observa les deux filles qui s'avançaient dans leur direction.

– Elle a des nichons à vous couper le souffle, cette blonde-là !

Zack grogna et poursuivit ses exercices avec encore plus d'acharnement. Il n'était jamais objectif avec les blondes et la brune avait l'air moins bête, mais il pensa aussi que ce n'était pas le moment de s'occuper des femmes.

– T'es aveugle ? lui demanda Sid.

Zack allait répondre lorsque Foley hurla :

– Plus vite, Worley. Tu n'as pas le droit d'ouvrir la bouche sans mon autorisation. Ouvre-la encore une fois et tu resteras ici jusqu'à l'aube.

– Soixante-quatre, murmura Zack. Soixante-cinq...

– Qu'elle aille se faire foutre ! dit Lynette à quelques mètres de là.

– Fais gaffe, on pourrait t'entendre, répliqua Paula.

Lynette se couvrit la bouche et ricana :

– J'ai toujours eu envie de rencontrer un de ces Anges bleus. Cette vieille Nellie veille sur nous.

– Remercie donc Dieu de nous l'avoir envoyée.

Paula s'arrêta un instant pour observer les deux aspirants à plat ventre sur la pelouse.

---

(1) Okies : paysans de l'Oklahoma qui émigrèrent lors de la crise de 1929. Par extension, tous les habitants de cet Etat. *(N.d.T.)*

– Regarde-moi ces nouveaux crevards, dit Lynette.

– Les pauvres!

– A dans un mois, les mecs, quand vous aurez votre première perme! lança Lynette en les saluant de la main.

– Vous en faites pas! Ils auront repoussé de deux centimètres d'ici là, ajouta Paula en se caressant les cheveux.

Elle détourna un instant la tête lorsqu'elle aperçut la trogne menaçante du sergent instructeur. On doit bien rigoler avec ces deux-là, songea-t-elle. Puis elle détailla les femmes alignées avec les autres aspirants. Avec un peu plus de chance, elle aurait pu être l'une d'elles. Ce serait peut-être pour une prochaine vie.

Sur les marches du Club des Officiers, elles rencontrèrent Donny Tarlton, un beau jeune homme de Houston, instructeur de pilotage. Il venait de rompre une brève liaison avec une amie de Paula, et il l'avait fait d'une façon si brutale que la pauvre fille avait mis une semaine à s'en remettre.

– Salut, Donny, fit Lynette.

– Comment ça va, les filles? Ça fait un bail que je ne vous ai pas vues.

– Ça ne nous empêche pas de causer de toi, Donny, lança Paula avec un regard glacial.

– Ah oui?

– Paula! fit Lynette en lui saisissant le bras.

– Tu as le bonjour de Charlotte Moss, continua Paula.

– Je me doute bien que les debs doivent papoter entre elles.

– On est libres, non?

Elle lui adressa un sourire méprisant et poussa la porte d'entrée du club.

– Tu n'aurais pas dû faire ça, lui reprocha Lynette, une fois à l'intérieur.

– Oui, je sais.

– Eh bien?

– Eh bien quoi? Je n'aime pas les types qui foutent mes amies en l'air.

Lynette baissa les yeux.

– Viens, n'y pense plus et amusons-nous.

– Pourquoi pas, soupira Paula après quelques instants. Allons boire un verre!

Et elle suivit Lynette qui s'approcha du bar en passant tous les hommes en revue.

4

Zack gardait les yeux rivés sur le postérieur de Casey Seeger qui rebondissait sous son nez. Il s'était aperçu que de cette manière il souffrait moins de la fatigue et de la chaleur. Mieux, ses forces semblaient croître! Cette nouvelle découverte lui fit plaisir.

– « Vole bas et ça ira », beugla Foley.

Ils reprirent tous en chœur. Zack se demanda comment ce type s'y prenait pour supporter toutes ces conneries; et de plus, il avait beau courir, c'était à peine s'il suait.

– « Repère une famille au bord d'une rivière. »

– « Repère une famille au bord d'une rivière », répétèrent les aspirants.

– « Vise père et mère et écoute-les hurler. »

– « Vise père et mère et écoute-les hurler. »

– « Arrose les gosses de napalm. »

Foley ponctua sa chanson d'un petit rire.

Ce n'est qu'une brute aveugle qui entraîne ses troupes à devenir des brutes aveugles, songea Zack tout en chantant à tue-tête avec les autres. L'idée de balancer des bombes lui traversait rarement l'esprit bien qu'il ait rencontré plein d'aviateurs aux Philippines pas même foutus de se rappeler le nombre de leurs bombardements au Viêt-nam.

Ce n'était pas pour cela qu'il s'était inscrit dans cette école. Bien sûr, se disait-il, il le ferait, comme tout un chacun, si on le lui ordonnait. Mais ce qu'il voulait, lui, c'était voler à 1000 km/h dans l'immensité bleue du ciel.

– « Dix-huit gosses dans une zone de feu. »
– « Dix-huit gosses dans une zone de feu. »
– « Livres sous le bras, ils rentrent chez eux. »

Zack répéta le couplet, puis aspira profondément une bouffée d'air marin.

– « Le dernier rentre tout seul. »

Zack hurla ces mots, puis détourna son regard des fesses de Casey pour observer l'océan bleu-gris : ils arrivaient sur la grève.

– « Arrose les gosses de napalm. »
– « Arrose les gosses de napalm. »

Sacrément dur de courir sur ce putain de sable avec ces foutus godillots! Ils se rapprochèrent du bord de l'eau, là où le sable est un peu moins mou et se dirigèrent vers le tunnel qui conduisait au champ de tir. Marrant, marrant, marrant, se dit Zack en fixant à nouveau ses prunelles sur le pont arrière de Seeger. Beau morceau!

Sid Worley courait devant Casey. Il fit gicler de l'eau et se retourna vers elle en lui adressant son grand sourire d'Okie.

– Hé, Seeger! Qu'est-ce que tu fous là?
– La même chose que toi, hoqueta-t-elle.
– La même chose que moi? haleta-t-il.
– Qu'est-ce que tu me veux, Worley? Est-ce que je t'emmerde, moi?
– Hé, Casey, dit Zack dans son dos.

Elle lui jeta un regard par-dessus l'épaule.

– Quoi, Mayo?
– Tu peux être envoyée à la guerre, tu sais.
– Ça fait partie du programme.
– Ton joli petit cul risque d'être bousillé.
– T'occupe pas de mon cul!

– Surtout pas!

Elle reprit son souffle.

– Et puis, ça ne me déplairait pas d'être la première femme à piloter un chasseur en temps de guerre.

– Fantastique! fit Zack. Tu pourras y aller à ma place.

Elle ne tiendrait sûrement pas le coup longtemps dans un camp de prisonniers de guerre.

– Tu veux vraiment piloter des jets, Casey? demanda Sid en regardant à nouveau derrière lui.

Elle acquiesça de la tête.

– Et toi, Mayo? demanda-t-il un peu plus fort.

– Des jets aussi, dit Zack.

– Ça me fait vraiment de la peine de vous dire ça, les mecs, mais ils n'en prennent que deux par section pour les jets, déclara Sid. Alors, lequel de vous deux viendra avec moi?

Avant que Zack ou Casey n'aient pu répondre, Foley beugla à nouveau :

– Et maintenant, vermines, voilà ma chanson préférée. Je veux que vous la chantiez comme si c'était aussi *votre* chanson préférée. Compris?

– Oui, monsieur, hurlèrent les aspirants.

Foley entonna sa ritournelle et les futurs aviateurs reprirent ses paroles.

« Dans un fossé, y a une famille de niacoués. Bébé suce un téton. Le napalm, c'est bon, c'est bon. C'est bon pour les gosses. » Le groupe s'engouffra dans le tunnel et le sergent ponctua sa chanson par un rire diabolique.

– Ce type-là a vraiment le sens de l'humour, pas vrai? dit Worley.

Zack ne pouvait même plus voir les fesses de Casey dans le noir. On distinguait à une centaine de mètres un faible rayon de lumière. Il savait ce qui les attendait de l'autre côté du tunnel. Il décida de fermer sa gueule et d'écouter les claquements rythmés des rangers sur le sol et les respirations de plus en plus courtes. Il

46

se sentait comme enfermé dans un poumon d'acier.

Avant même d'émerger en pleine lumière, on entendait les hurlements des sous-offs. Surtout ne prends pas ça pour toi, se rappela-t-il. Le bunker du champ de tir datait de 1895, et à présent, cet énorme bloc de béton, à l'histoire chargée, servait de chambre de torture pour les futurs officiers. A chacune des montées d'escalier délabrées se tenait un sergent instructeur qui se frappait la paume de la main de sa baguette en hurlant des insultes aux aspirants épuisés et terrifiés. Une espèce de monstre blanc posa ses petits yeux de porc sur Zack et fit mine de le frapper.

— Magne-toi, mollusque! aboya-t-il. (Puis il désigna Seeger :) Et si cette baudruche qui est devant toi se casse la figure, tu lui passes dessus.

Zack avait envie de rire. Il ne se laissait pas impressionner aussi facilement que les autres. Il se demanda si l'ambulance avec ses deux médecins, garée sur le côté, était là pour le cas où il y aurait un accident ou simplement par mesure d'intimidation.

— Ça vous plaît l'entraînement, mademoiselle? beugla l'un des sergents.

— Oui, monsieur!

— C'est qu't'es cinglée, alors, cria-t-il dans son dos.

Zack lui lança un bref coup d'œil.

— Avance, dindon! J'suis bien trop beau pour toi.

Tout, sauf toi, pensa Zack. Afin de ne pas glisser, il posait méthodiquement un pied sur chaque marche de béton et ne regardait plus le cul de Casey que de temps à autre. Il était content de se trouver derrière elle, car elle n'était pas trop rapide bien qu'elle fût meilleure que la moitié des gars. Elle s'était sans doute beaucoup entraînée dans son école. Et championne au base-ball aussi, certainement.

Coleman abandonna le premier. Les médecins se penchèrent sur lui quelques instants, puis le poussèrent sous un arbre où il resta allongé, le souffle coupé.

Trent, une femme, tomba à genoux après être montée trois fois au sommet du bunker; deux sergents l'étendirent sur le sol froid. Des larmes coulaient sur son visage. Zack passa à côté d'elle sans éprouver la moindre émotion. C'était le but de l'opération : éliminer les plus faibles. Chacun savait qu'il était impossible que tous obtiennent le diplôme. Zack avait les poumons en feu, son cœur battait si fort qu'il lui semblait qu'il allait éclater, mais il se savait encore plein de forces. Une sorte de chaleur blanche avait envahi ses jambes; il les sentait à peine, mais elles continuaient à obéir docilement à son cerveau. La surtension de l'effort effaçait tout le reste de son esprit, et cette impression n'était pas pour lui déplaire.

Il observa les visages de ses compagnons : tout le vernis de la civilisation avait disparu; on n'y lisait plus qu'un seul désir : survivre.

Il acheva son troisième tour et franchit la ligne d'arrivée, jetant un regard rapide vers Foley. Impassible, le sergent secouait la tête d'un air méprisant. Espèce de brute bornée! il n'est même pas content, se dit Zack. Il tomba à genoux à côté de Sid et Casey, et inspira l'air froid à pleins poumons, les yeux fermés. Lorsqu'il put les rouvrir, ils avaient tous terminé. Perryman, étendu sur le dos, se tenait l'estomac; Della Serra, plié en deux sous un arbre, dégueulait son petit déjeuner.

– Parfait, Emiliano! hurla Foley. Voilà le genre de discours que j'aime à vous entendre tenir!

Della Serra voulut répondre, mais une nouvelle nausée l'en empêcha.

– Dès que vous le voudrez, j'accepterai votre démission, Monsieur le Mathématicien de l'Institut de Technologie du Texas. (Puis il hurla :) Tête à droite!

Tous les regards se tournèrent vers une vingtaine d'aspirants – d'un contingent précédent – qui avançaient dans leur direction au pas de course. Ils chantaient en cadence, le sourire aux lèvres. Leurs survêtements bleu vif étaient ornés d'un blason annonçant qu'il s'agissait des « Cobras du Traxton ».

– Ben, dis-donc! fit Worley.

Zack les regarda passer à côtć d'eux d'un air songeur. Ils semblaient heureux et en pleine forme, alors qu'ils venaient de parcourir plusieurs kilomètres à cette allure. Chacun portait son surnom inscrit au dos de sa veste : *Face d'Indien, Pipelette, Pantouflard, Goinfre, la môme Steph, le Beau Pierre*, et ils montaient et descendaient aussi facilement que s'ils s'étaient trouvés sur un escalator.

Foley déambulait entre les bleus de sa section tandis que les Cobras expédiaient l'exercice en un rien de temps.

– C'est vous dans treize semaines, leur annonça-t-il. Enfin, ceux qui tiendront le coup, bien sûr. Vous remarquerez que leurs rangs se sont bien éclaircis. Seuls les forts survivent.

Les crevards échangèrent des regards furtifs.

Foley se posta alors face à eux :

– Vous êtes sans aucun doute la promotion la plus attendrissante dont j'aie jamais eu à m'occuper. C'est une grande première, car dans ma carrière j'ai eu affaire à pas mal de crapules. (Il les observa quelques instants, puis haussa les épaules.) Quoi qu'il en soit, le commandant m'a chargé de vous informer que si, par quelque miracle, vous teniez plus de quatre semaines à compter d'aujourd'hui, vous seriez autorisés à vous rendre au bal de l'armée où vous pourrez rencontrer quelques célébrités locales du sexe opposé.

Les crevards laissèrent échapper des grognements de soulagement et certains parvinrent même à sourire. Sid poussa Zack du coude, l'air ragaillardi.

– Ne vous imaginez pas que ça va être de la tarte, poursuivit Foley tout en jouant avec son stick. Personne n'a jamais trouvé que quatre semaines avec moi, c'était facile. (Il marchait de long en large, un grand sourire découvrant ses dents étincelantes.)

Il avait raison : ce n'était pas facile. Seul un maso doué d'une vigueur exceptionnelle, et encore, aurait pu trouver ça agréable. Zack n'était pas masochiste, mais au bout de quelques jours, l'entraînement lui parut supportable. Les exercices physiques lui avaient toujours plu et il parvenait à endurer la torture mentale parce qu'il savait exactement qui il était et pourquoi il était là. Il avait suffisamment traîné autour de l'armée pour connaître les pièges qui le guettaient, et rien ne pouvait l'atteindre.

Il aimait également observer ses compagnons et essayer de deviner qui abandonnerait. Des signes de fatigue se manifestaient déjà chez certains : œil triste, manque de concentration durant l'exercice, irritation devant les ordres contradictoires que le sergent leur lançait constamment. Zack s'aperçut que le meilleur moyen de résister était de faire le vide dans son esprit, de ne jamais s'attendre à continuer la même activité très longtemps; surtout, il fallait toujours rester sur le qui-vive. Zack pensait que des liens avec l'extérieur n'apporteraient aucun soutien. Perryman, lui, avait une famille, et une famille au sujet de laquelle il se faisait du souci. Un jour, Foley lui avait demandé, alors qu'il faisait l'appel avant le repas, s'il ne voulait pas démissionner tout de suite pour rejoindre sa femme et son enfant. Perryman était le seul Noir de la section, et Zack n'était pas étonné que le sergent s'acharne sur lui. Il essayait de l'abattre en lui affirmant qu'il n'arriverait jamais à commander des Blancs, surtout ceux qui dans le civil l'auraient tué à la première occasion. C'était le point faible de Perryman, et Foley finirait bien par lui en trouver un à lui aussi; mais il lui faudra du temps, se jura Zack.

Il n'avait jamais l'habitude de traîner à table. Aussi, le fait qu'on ne leur accordât que quelques minutes pour avaler leur boustifaille ne le dérangeait-il pas trop. Il avait toujours faim et même l'espèce de semelle qu'on leur servait le plus souvent lui semblait bonne. Aux repas, Foley les torturait en prenant un malin plaisir à les faire attendre. Ils devaient rester immobiles tandis que l'odeur de la nourriture montait à leurs narines, puis s'asseoir tous ensemble à son commandement. Si jamais l'un d'eux était trop rapide ou trop lent, ils devaient tous se relever et répéter le mouvement jusqu'à ce qu'il soit parfaitement exécuté. C'est ainsi que Zack apprit à ne rien anticiper et à garder l'esprit concentré uniquement sur ce qu'ils étaient en train de faire. Serrer les poings, courber l'échine, ne pas résister. Il n'était pas nécessaire de renier sa personnalité, il suffisait de ne pas la montrer.

Tout compte fait, ce n'était pas désagréable de voir ses cheveux repousser un peu après deux semaines. Ça vous rappelait que vous existiez encore malgré les apparences. Alors que Zack se regardait dans la glace des douches en caressant doucement le duvet naissant de son crâne, Della Serra passait un rasoir électrique sur le sien.

– A quoi bon s'occuper de ça, Mayo, dit-il. Fais donc comme moi!

– Tu seras toujours beau, Emiliano.

Zack lui flanqua un coup de serviette et se dirigea vers les latrines. Della Serra avait un moral d'acier et Zack croyait qu'il tiendrait le coup. Avec son passé de mathématicien, ce n'était pas l'aérodynamique qui risquait de le gêner. Si jamais lui, Zack, avait un point faible, c'était bien celui-là. Il s'avança vers sa chambre, puis soudain revint sur ses pas et ouvrit la porte de celle de Seeger.

– Bonjour, mesdemoiselles, fit-il, le sourire aux lèvres.

Gonzales bondit du lit pour enfiler prestement son chemisier. Casey était en pantalon et soutien-gorge, et elle se borna à le saluer de la tête avant de retourner au nettoyage de ses godasses.

– T'as jamais entendu dire qu'on frappait aux portes avant d'entrer? dit-elle.

— Si, mais il y a un bail.

— Qu'est-ce que tu veux? demanda Gonzales en boutonnant son chemisier.

— Vous êtes au courant pour Sands et Kantrowitz?

— Quoi? demanda Casey.

— Ils ont démissionné. Hier soir.

Casey cessa de cirer ses chaussures pour le regarder.

— C'est triste.

— Ça me brise le cœur, fit-il en hochant la tête.

— Je ne savais pas que tu en avais un.

— Allons, See-gare, on ne joue pas à qui perd gagne ici.

— C'est pas une raison pour se réjouir.

— Y aura moins de concurrence, comme ça.

— T'es un fortiche toi, hein? Et tu penses que le monde n'est qu'une jungle. C'est ça, hein?

— C'est à peu près ça.

— L'homme est un loup pour l'homme, pas vrai?

— Tu l'as dit, mon agneau! (Il regarda ses seins.) Bichonne-les bien, Seeger.

— T'es prêt pour l'inspection?

— J'suis prêt.

Il lui adressa un petit sourire et retourna dans sa chambre. Il y régnait une activité fébrile. Chacun craignait l'œil d'aigle de Foley. Worley rangeait ses chaussures et ses bottes sous l'armoire, Perryman astiquait la boucle de son ceinturon, et Topper Daniels, en pleine panique, empilait ses sous-vêtements; il vérifia même la régularité de sa pile avec un double décimètre avant de la mettre dans son placard. L'arrivée de Zack sembla vraiment le soulager.

— Où t'étais passé, Mayo? L'inspection est dans cinq minutes. Donne-les-moi!

Zack avança la main, paume en l'air.

— Où est le fric?

— Là! Allez! dit-il en lui tendant cinq dollars.

Zack bondit sur sa couchette et détacha un panneau du faux plafond.

Perryman lui lança un regard méprisant.

– Il vaudrait mieux pour toi que Foley ne découvre jamais ça, Mayo.

– Foley ne sait pas tout.

Zack se hissa jusqu'à la cache et en extirpa une paire de bottes vernies, pointues, impeccables. Il les tendit à Topper, puis saisit une boucle de ceinturon et la montra à Perryman.

– Deux biftons pour une boucle, Perryman. Regarde comme elle brille! Les bottes, ça fait cinq.

– Crétin! dit Perryman. D'où veux-tu que je les sorte? Je verse jusqu'au dernier *penny* de ma solde à ma famille, pour le motel.

Zack haussa les épaules.

– Dis donc, mon gros, y a un gradé qui te fournit? demanda Sid.

– Secret militaire!

Zack fit disparaître la boucle, replaça le panneau, puis sauta à bas du lit.

– Toi, t'es vraiment fortiche, Mayo, fit Perryman.

– Elle a dit exactement la même chose, répliqua Zack.

– Mais réponds juste à une question. Est-ce que ce putain de fric vaut la peine de risquer de nous faire tous foutre à la porte pour manquement à l'honneur?

– Manquement à l'honneur?

– Ouais! Tu n'as jamais entendu parler de ça?

– Personne ne s'est jamais plaint de mes services, répondit Zack avec un sourire narquois.

– Oh!

Perryman se détourna et continua ses rangements. Zack lança un regard exaspéré à Worley, puis vérifia que sa propre boucle de ceinturon était irréprochable.

Après avoir dépassé Della Serra dans la portion où ils devaient ramper sur le dos, Zack se remit debout et fonça vers l'échelle horizontale. Le parcours du combattant était la partie de l'entraînement qu'il préférait; sans doute, parce qu'il y était très fort. Foley lui avait même laissé entendre que s'il continuait à améliorer son score, il finirait par battre le record absolu, à moins qu'il ne soit vidé avant à cause de ses carences en aérodynamique.

Perryman était au quart de l'échelle lorsque Zack y grimpa à son tour. Et il avait franchi l'obstacle que l'autre peinait encore pour atteindre le dernier barreau.

– C'est pas mal, Mayo-naise! hurla Foley. Ton cul sur le mur maintenant.

Il entendit les cris d'encouragement de ses compagnons massés sur la ligne d'arrivée. Zack saisit la corde et escalada les quatre mètres du mur en bois comme s'il était Spiderman, pivota au sommet et se laissa retomber de l'autre côté. Il reprit son souffle et parcourut à toute allure les cinquante derniers mètres. Quand il franchit la ligne d'arrivée, ses camarades enthousiastes lui donnèrent au passage des claques dans le dos. Il continua encore quelques mètres avant de s'adosser à une vieille clôture, puis observa les autres aspirants qui continuaient à s'encourager de la voix. Je dois réussir à battre ce record, se dit-il. Ça compensera peut-être mes mauvaises notes en aérodynamique.

Ensuite, il s'affaissa. Lorsqu'il releva les yeux, Foley le toisait. Bon sang, qu'est-ce qu'il voulait encore? Ils s'affrontèrent du regard. Puis le sergent tourna le dos en hochant la tête. Zack se leva et zigzagua jusqu'à la ligne d'arrivée.

Pauvre Seeger! se dit-il. A mi-hauteur de la corde, elle retombait chaque fois. Foley l'observait, l'air railleur :

– Seeger! cria-t-il.

– Oui, monsieur, hoqueta-t-elle.

– Tu resteras là jusqu'à ce que tu y arrives.

Pas de réponse.

– Seeger! tu m'entends?

– Oui, monsieur.

– Qu'est-ce que tu dois *te* dire?

Elle saisit la corde et recommença à grimper.

– Que j'y arriverai, monsieur.

– Tu veux être un homme, See-gare?

Elle fit non de la tête et à bout de souffle continua de monter.

– Tu fais partie de ces petites filles qui n'ont pas été aimées par leur papa parce qu'il voulait un fils?

Elle secoua à nouveau la tête.

– Hein, c'est ça, Seeger?

Elle se mordit la lèvre, essaya de gagner encore quelques centimètres, mais glissa et se retrouva au sol. Ce fut plus fort qu'elle : elle éclata en sanglots.

– Et voilà! hurla Foley. Tu sais pourquoi tu perdras toujours, Seeger?

Elle lui lança un regard interrogateur. Il observait le mur comme si c'était à lui qu'il s'adressait.

– A cause de ta mentalité de femelle qui cherche à convaincre. (Il planta ses yeux dans les siens.) Tu penses encore comme un citoyen de deuxième ordre, Seeger. Tu ne pourras jamais commander des hommes.

Elle regarda le sol, puis Foley, incapable de dire un mot.

– Et tes membres supérieurs sont encore trop faibles.

– Je vais m'entraîner, fit-elle d'une voix déterminée.

– T'as intérêt! Maintenant, file rejoindre les autres asticots.

– Oui, monsieur.

Elle contourna le mur et partit en courant vers ses compagnons.

Elle a des couilles, celle-là, songea Zack.

Ce soir-là, en revenant de l'entraînement, Zack se laissa lentement distancer par le reste de la section. Lorsqu'il fut sûr que personne ne s'en apercevrait, il bifurqua vers l'extrémité nord de la base. Près du vieil incinérateur qui se trouvait derrière son baraquement, il retrouva le taciturne Anderson, un engagé de la marine.

– Ça m'a l'air pas mal, commenta Zack en détaillant les boucles et les bottes que Anderson avait disposées sur une couverture.

– C'est même parfait, répondit le matelot en tendant la main.

Zack y glissa deux billets.

– A la semaine prochaine!

– Bien sûr, fit Anderson qui s'éloigna aussitôt.

Zack replia la couverture et à l'instant où il s'apprêtait à partir, on l'interpella dans l'obscurité :

– Alors, c'est ça ta combine?

– Hein?

Sa première pensée fut « Foley! », mais il aurait reconnu la voix du sergent. Sid Worley sortit de l'ombre.

– C'est bien ce que j'avais supposé. Pas mal, ton plan, Mayo-naise!

Zack lui lança un regard coupable, puis jeta la couverture sur son épaule.

– Dis donc, vieux, ne va pas raconter ça aux autres, hein?

– Pas moi, mon pote, si tu fais ce que je te demande, répondit-il, un large sourire aux lèvres.

– C'est-à-dire?

– Tu me fournis en bottes gratis.

Zack se caressa le menton comme s'il réfléchissait profondément :

– Ecoute, tu m'aides en aérodynamique et tu les auras.

– Marché conclu, dit Sid en lui lançant une claque dans le dos.

Depuis la dernière inspection des chambres, la section de Zack s'était encore racornie; ils n'étaient plus que vingt-neuf aspirants. Avec l'aide de Sid, Zack était passé de la dernière à la vingtième place en aérodynamique. S'il n'était pas devenu Isaac Newton pour autant, du moins pouvait-il suivre les cours. Dans tous les autres domaines, il arrivait presque en tête et il ne faisait plus aucun doute que dans neuf semaines, Foley le saluerait et l'appellerait « monsieur ».

Il s'efforçait de ne pas sourire en observant les allées et venues du sergent qui furetait dans leur pièce à la recherche du moindre grain de poussière ou d'une erreur de rangement. Mais ce manège s'était renouvelé si souvent qu'il était impossible qu'il trouve quoi que ce soit à redire.

– Ce merdier n'a pas l'air trop mal, fit-il en s'arrêtant devant Topper Daniels. (Il le scruta des pieds à la tête, et brusquement arracha un minuscule bout de fil de l'épaule de sa victime :) Veste d'Indien, mon garçon.

– Monsieur?

– Tu te présenteras au rapport!

– Pour quel motif, monsieur?

– Uniforme incorrect. (Foley se plaça ensuite devant Perryman et désigna la boucle de son ceinturon :) Est-ce que tu as fait briller cette boucle?

– Oui, monsieur.

– Avec quoi?

– Du blanc d'Espagne, monsieur!

– Ça serait pas avec du chocolat, plutôt?

Perryman voulut dire quelque chose, mais le sergent lui tourna le dos. C'était le tour de Zack à présent. L'œil de Foley se posa sur son menton :

– Tu t'es rasé devant une glace, ce matin?

– Oui, monsieur.

– T'as oublié ce coin.

– Ça ne se reproduira pas, monsieur.

– Arrête de rêver aux gonzesses, Mayo. Pense plutôt au boulot!

Ensuite il s'avança vers Sid.

– Pas mal, Worley.

– Merci, monsieur.

– On dirait que t'as fait tout ton possible.

– Oui, monsieur.

– Si tu ne buvais pas tant de bières, tu serais en bonne forme.

L'instructeur guetta un sourire chez les autres aspirants, mais ils restèrent tous de marbre. Il les toisa un instant, puis lança :

– Pas terrible, mes enfants, pas terrible! (Il laissa la peur s'infiltrer en eux.) Mais je vous autorise quand même tous à aller au bal. Un peu de détente vous fera du bien. (Sur ce, il sortit de la pièce. Une fois au bout du vestibule, il aboya :) Rompez!

Sid lança sa casquette en l'air en poussant un cri de victoire.

– Des femmes! hurla Topper. On va voir des femmes, des vraies!

– Je vais appeler la mienne, annonça Perryman en claquant la porte de son placard.

– Allez, Mayo, t'es prêt mon vieux? Allons jeter un œil sur ces debs de Puget, dit Sid.

– J'suis paré et d'attaque. Je suis...

Il s'interrompit soudain, le regard fixé sur Henderson qui venait d'entrer, habillé en civil, sa valise à la main.

Les autres se figèrent. Il avait donné sa démission le soir précédent.

– Je viens juste pour vous dire au revoir, les mecs. Je vous souhaite bonne chance, et tout le tintouin!

– Merci! dit Zack en lui donnant une poignée de main.

– Prends ça du bon côté, vieux. Te laisse pas abattre, dit Perryman.

– Penses-tu! Bon... alors... à bientôt.

Il tourna les talons et sortit tandis que les autres marmonnaient des au revoir gênés.

– C'est trop con, soupira Sid.

– Moi, je savais qu'il craquerait, fit Zack. J'ai vu ça dès le troisième jour.

– C'est vrai? demanda Perryman.

Zack opina.

– Et moi, alors?

– Va donc appeler ta femme. (Zack lui donna une claque amicale dans le dos.) Tu peux lui dire que dans vingt ans, tu seras chef d'état-major.

Perryman lui jeta un regard en coin.

– A ce soir, au bal, ajouta Zack.

5

Malgré son impeccable uniforme blanc, Zack se faisait l'effet d'être un vautour. Debout aux côtés de Sid près de l'entrée du Club des Officiers, il observait les va-et-vient des debs de Puget qui passaient la porte dans leurs robes de satin. Les filles avaient l'air aussi nerveuses que lui lorsqu'elles franchissaient avec des sourires forcés la petite rangée des officiers et de leurs femmes collet monté qui accueillaient les nouveaux venus.

Depuis le début de l'après-midi, Zack était obsédé par le besoin d'une femme, mais il n'avait encore rien repéré d'intéressant.

– Je n'en reviens pas, dit-il à Sid en lui donnant un coup d'épaule.

– De quoi? (Sid continuait à surveiller l'entrée.)

– J'ai l'impression qu'il me reste encore un peu de discernement.

– Le mien est en train de fondre à vue d'œil.

Ils observèrent Topper qui se présentait à une petite grassouillette aux seins comme des melons; il l'entraîna sur la piste de danse.

– Il a l'air aux anges, fit Zack.

– Regarde-moi ça! (Sid indiqua du menton Perryman et sa femme qui dansaient un slow étroitement enlacés.) Mariés depuis sept ans et toujours amoureux!

– C'est quelque chose, dit Zack en hochant la tête.

– Nom de Dieu! Ce sont elles, dit Sid en lui agrippant le bras.

– Elles?

Zack se tourna vers les deux jeunes femmes qui passaient la porte. Elles n'étaient pas si mal.

– Mais oui, celles du premier jour.

– Je ne me rappelle pas.

– Tu sais bien, quand nous faisions les pompes.

– Ah oui!

– Comment oublier cette formidable paire de lolos! murmura Worley.

– Je ne les ai pas oubliés. (Mais Zack préférait l'autre fille : entre ses seins plus petits et plus fermes se balançait une fine croix en or.)

– Allons-y, mon vieux. (Il se dirigea vers la vieille Nellie.) Madame Rufferwell?

Elle se retourna et lui fit un grand sourire.

– Oui, Sid?

Elle devait passer ses nuits à regarder leurs photos et à apprendre leur nom par cœur, songea-t-il.

– M'dame, pourriez-vous nous présenter à ces deux charmantes personnes?

– Mais bien sûr, jeunes gens.

Jeunes gens, mon cul, pensa Zack.

Sid tendit immédiatement la main à la blonde. Nellie l'enveloppa d'un sourire maternel et approbateur.

– Aspirant Sid Worley, puis-je vous présenter Lynette Pomeroy?

– Vous pouvez, répondit Sid. Heureux de faire votre connaissance, Lynette.

– Salut, fit-elle, souriante.

– Miss Paula Pokrifki, poursuivit Nellie, le camarade de promotion de Sid, Zack Mayo.

Zack salua de la tête.

– Heureuse de vous rencontrer, dit Paula.

Nellie Rufferwell donna une petite tape amicale sur le dos des aspirants.

– Eh bien! j'espère que vous vous amuserez.

– Merci, madame, dit Sid.

Zack lança un coup d'œil à Paula, puis regarda nerveusement le sol. Bon Dieu, il n'avait pas la moindre idée de ce qu'il pourrait raconter. Il la regarda à nouveau, puis se passa une main sur le crâne.

– Vous nous aviez promis que cela aurait poussé d'au moins deux centimètres.

– Elle a poussé de plus que ça, mon agneau, murmura Sid dans son dos et Zack faillit éclater de rire.

– Alors, c'était vous? demanda Paula.

– En bonne position dès le premier jour.

– En tout cas, vous êtes toujours dans la session.

– Oh que oui! dit Zack.

Ils partirent lentement vers le buffet.

– C'est votre première soirée libre? intervint Lynette.

– Oui, m'dame, fit Sid. Quatre longues et dures semaines de sacrifices pour notre pays, notre peuple et pour vous. Mais nous avons survécu.

– Venez! (Lynette l'avait pris par le bras.) Allons danser!

Sid jeta un coup d'œil à Zack, puis se retourna vers elle :

– Je suis tout à vous.

Paula et Zack continuèrent leur chemin.

– Vous voulez danser? lui demanda-t-elle.

– Allons plutôt prendre un punch. Nellie aura peut-être mis quelque chose de raide dedans.

– N'y comptez pas trop, dit Paula en riant. Nellie est devenue quelqu'un de très respectable.

– « Devenue », c'est le mot juste. (Il remplit une coupe et la lui tendit.) Peut-être une dose de bromure?

– Elle n'est pas devenue respectable à ce point-là!

Zack but une gorgée de punch en observant la piste sur laquelle Sid et Lynette évoluaient, tendrement enlacés. Puis il fit face à Paula.

– Au fait, Pokrifki, ça vient d'où?

– De Pologne.

– Ah!

– Pas de plaisanterie là-dessus?

– Non.

– C'est une première. (Elle enleva un fil sur son uniforme.) Et Mayo, ça vient d'où?

– D'Italie. Ma mère était écossaise. Mais d'elle, je ne tiens que les oreilles. Tout le reste est rital.

– Et d'où êtes-vous, Mayo le rital?

Il fit un grand geste qui enveloppa la salle entière.

– De partout et de nulle part, Paula la Polack.

– Sérieusement? Ou bien avez-vous beaucoup voyagé?

– C'est ça. Mon père est contre-amiral dans la Septième Flotte.

– Vraiment? (Elle semblait tout excitée.)

– Vraiment! Nous avons vécu un peu partout dans le monde. (Il porta un doigt à son menton et ferma les yeux.) Katmandou, Moscou, Nairobi.

– Formidable! Je ne suis jamais sortie de Puget, à part le jour où je suis allée voir un oncle à côté Portland. (Elle fit une pause.) A coté *de* Portland, je veux dire. Vous ne trouvez pas que les gens causent d'une façon bizarre par ici?

– Votre grammaire est meilleure que celle du ser- gent Foley. (Il lui serra le bras.) Et probablement meilleure que la mienne.

Elle lui sourit et observa un instant les danseurs.

– Eh! Vous vous moquez de moi.

– Non, non. Ma grammaire est vraiment défaillante.

– La Navy n'est jamais allée à Moscou.

– En géographie aussi, vous êtes meilleure que moi.

Il la regarda de la tête aux pieds, puis termina son punch.

– Vous avez vécu où alors?

– Dans tout un tas de coins ennuyeux, dit-il en haussant les épaules. Vous ne trouvez pas que la vie est belle?

Il observait la main de Sid qui se déplaçait lente- ment vers le bas du dos de Lynette.

– Vous avez une fiancée? demanda Paula.

– Ça ne m'est jamais venu à l'idée.

– Ah non?

Paula lui lança un chaud regard et cela ne lui déplut pas.

– Eh non, fit-il.

– Qu'est-ce qui vous est déjà venu à l'idée?

Zack la regarda un moment en silence, puis il lui lança :

– J'ai entendu dire que toutes les femmes qui vien- nent tourner par ici sont à la recherche d'un mari.

– Pas moi!

– On nous a même mis en garde contre vous.

– Je ne joue pas à ce jeu-là.

– Pourquoi venez-vous ici alors?

– Pour rencontrer des gens intéressants, pour me perfectionner. (Elle avait dit cela sur un ton de grande sincérité.)

– C'est très louable.

– Vous ne pouvez pas vous figurer le genre de paumés qui se baladent à Port Angeles.

– Oh si! (Ils n'étaient sûrement pas bien différents de ceux de Norfolk ou des Philippines. Pas bien différents de son père. Il aurait pu aller là-bas sans être dépaysé.) Est-ce que vous allez à l'université?

Elle secoua la tête et ses beaux cheveux balayèrent ses épaules.

– Je travaille à la *National Paper*.

– Hum!

– C'est un bon boulot. Je touche huit dollars vingt-trois de l'heure.

– C'est plus que nous. (Son regard était posé à la naissance de ses seins.)

– Quand j'aurai économisé assez d'argent, j'irai probablement au collège.

– Ça, c'est bien, Paula.

– Où avez-vous suivi des cours?

– Par-ci, par-là. J'ai commencé au Junior College en Californie et j'ai fini à Las Vegas. Et j'ai fait pas mal d'arrêts entre les deux.

– En tout cas, vous êtes allé jusqu'au bout.

– Si j'y suis arrivé, c'est parce que je voulais devenir pilote.

– Je pense que je commencerai par le Junior College, dit-elle, songeuse.

Il regarda la piste de danse sans faire de commentaires.

Quand les gens se mettaient à parler un peu trop sérieusement de leurs rêves, il se sentait toujours vaguement mal à l'aise.

– J'irai peut-être en Californie aussi. Est-ce que vous pensez que...

– Je pense que nous devrions danser.

Il posa un bras sur ses épaules et trouva que le contact de sa peau était délicieux.

– Oh, dit-elle. O.K.

Il lui adressa un sourire très tendre et l'entraîna sur la piste.

La musique s'arrêta. Sid et Lynette s'écartèrent lentement l'un de l'autre. Ils se regardèrent un moment dans les yeux pour prendre le temps de redescendre sur terre. Finalement, Sid laissa échapper un petit rire.

– Wooo!

– Oui! (Lynette papillota des yeux, puis releva la tête :) T'as déjà fait le Dilbert Dunker?

– Non, répondit-il, soulagé qu'elle ait trouvé un sujet de conversation. Mais j'ai entendu dire que c'était du gâteau.

– Ça n'est pas ce qu'on m'a dit à moi.

– Mon père et mon frère l'ont fait. Alors, je ne vois pas pourquoi moi, je n'y arriverais pas.

– Ton frère est aviateur?

– Il *était* aviateur. Il est mort.

– Viêt-nam?

Sid hocha la tête.

– Je suis désolée. J'avais un grand frère qui est mort là-bas, lui aussi. (Son regard parcourut les groupes d'officiers dans leurs uniformes impeccables.) Mais il n'était pas aviateur... juste *Marine* de deuxième classe. Je n'avais que douze ans quand c'est arrivé, alors je ne me souviens pas très bien de lui.

– C'est dommage. Moi, je me souviens bien de Tommy. (Comme la musique recommençait, il capta son regard.) Et si nous parlions d'autre chose?

La jeune femme l'attira à elle, lui donna un rapide baiser sur le nez.

– Nous ne sommes absolument pas obligés de parler.

– Tout à fait d'accord.

Par-dessus son épaule, il lança un clin d'œil à Zack. Ce dernier le lui rendit. Paula avait envoyé promener un jeune lieutenant qui voulait l'inviter, et à présent c'était lui qui la tenait dans ses bras. Plus loin, sur la piste, Topper dansait la joue appuyée sur la poitrine de sa trop grande partenaire et, près d'eux, Della Serra mordillait le lobe de l'oreille de la sienne. C'était donc ça les terribles debs de Puget en train de tendre leurs filets ?

Paula s'écarta un peu de lui pour le regarder :

– Vous pensez que vous tiendrez jusqu'au bout et que vous gagnerez vos ailes ?

– Qui sait ? Je l'espère bien. Mais il y a des gars plus intelligents que moi qui sont déjà éliminés.

– Le programme vous convient-il ?

– Pas tellement.

– Ce sont les premières semaines les pires.

– C'est ce qu'on dit. (Elle en connaissait probablement dix fois plus long que lui sur ce sacré programme.) Mais s'il y a bien une chose que j'aie apprise, c'est qu'il est impossible de se détendre ici. Des fois, j'ai vraiment du mal à ne pas tous les envoyer se faire foutre.

Paula prit un air soucieux.

– Pensez à votre avenir ! Vous devez tenir le coup.

– Oui, monsieur ! dit-il après avoir fait un pas en arrière.

– Je ne plaisante pas. (Elle revint se glisser dans ses bras.) Quand on a pris la décision de faire quelque chose et qu'on a vraiment la volonté d'y arriver, eh bien, on y arrive.

– Vous en êtes sûre ?

– Absolument. Je viens juste de lire un article là-dessus dans *Cosmos*.

Zack la serra un peu plus fort et eut un petit rire.

– Vous pensez que je rigole ?

– Non, je pense que vous êtes une très jolie fille, Paula, dit-il en l'écartant légèrement de lui.

Ils se regardèrent un instant, puis Zack se pencha et lui donna un petit baiser sur les lèvres. Il voulut ensuite reculer la tête, mais elle le retint et l'embrassa plus hardiment. Tout ce qui les entourait s'évanouit soudain. Il lui rendit son baiser avec passion. Quand finalement, Paula s'écarta, il dut reprendre son souffle comme s'il venait de faire le parcours du combattant.

— Ça te dirait de ficher le camp de cette étuve? lui demanda-t-elle, les yeux brillants.

Il acquiesça.

— Le temps d'appeler Lynette et Sid.

— Fais vite, murmura-t-il.

Après un long baiser, Zack se laissa retomber voluptueusement contre le dossier de la banquette arrière de la Falcon.

Sid se retourna, l'air ravi.

— Comment ça va, mon vieux?

— Je ne me suis jamais senti aussi bien. (Paula écarta sa jambe et il lui fit un petit sourire.)

Lynette leur jeta un rapide coup d'œil.

— Hé, les enfants, vous pensez que vous tiendrez le coup jusqu'à la plage?

— Tais-toi et conduis, murmura Paula. (Zack fut surpris par le sérieux de sa voix.)

— Holà! excusez-moâ, ma chère, dit Lynette.

Sid lui donna un léger baiser, puis sa tête disparut du champ de vision de Zack.

— Arrête ça, souffla soudain Lynette. Tu as envie qu'on roule dans le fossé?

— L'amour a tous les droits, déclama Sid.

L'amour, l'amour, l'amour, pensait Zack. Qu'est-ce que c'était au fond? Il releva les cheveux de Paula et l'embrassa dans le cou. Ne te raconte pas d'histoires, mon garçon. Après quatre semaines de trou, c'est normal que tes sens soient un peu à vif. Mais pourtant, je n'ai jamais ressenti pour une femme ce que je ressens pour celle-ci.

— Oh là là! murmura-t-il.

— Oh là là! quoi? demanda Paula.

– Rien.

Il lui caressa le dos en regardant par la vitre la lueur d'un phare qui balayait la grève et l'océan.

L'efficacité de Lynette n'était pas sans amuser Sid. Elle étala la couverture sur le sable, puis s'allongea et lui sourit. Il se laissa tomber à genoux, l'observa un instant en hochant la tête.

– Qu'est-ce qui se passe, mon grand?

– Rien.

– Tu es sûr?

– Quelque chose me dit que ce n'est pas la première fois que tu viens ici, fit-il en haussant les épaules.

Elle se souleva et lui passa les bras autour du cou en lui demandant :

– Qu'est-ce qui peut bien te faire croire ça?

– Je ne sais pas. (Il rit.) Rien, absolument rien.

Il s'allongea près d'elle et lui ferma la bouche d'un baiser. Il commença à tripoter les boutons dans son dos; après un long effort, il parvint à en défaire un.

– Attends, je vais le faire.

Elle se rassit et très vite ils furent tous déboutonnés.

Sid s'était assis et, la tête dans les mains, il se rappelait soudain le petit discours sur les debs que Foley leur avait servi.

– Tu es sûr que ça va? lui demanda Lynette. Ne t'inquiète pas.

Elle lui tapota la joue, puis d'un mouvement fluide fit glisser sa robe. Sid se jeta sur sa poitrine.

– C'est le paradis, murmura-t-il en enfouissant son visage entre ses seins. (Un moment après, il s'écarta pour reprendre souffle.) T'es vraiment une drôle de fille, tu sais!

– Hum-hum! (Elle attaquait les boutons de sa chemise.)

– Ce que je veux dire, c'est...

– Je sais, je sais. (Elle l'embrassa avec une sorte de

fureur.) Ne t'inquiète donc pas, je prends la pilule, Sid. Allez, viens!

Elle se laissa retomber sur la couverture.

– J'ai comme l'impression que tu es pressée.

– Le dernier ferry est à minuit.

Sid déboucla son ceinturon.

– Je ferai de mon mieux pour vous obliger, M'dame.

Tout d'abord, Zack crut qu'il allait perdre la tête ou du moins son sang-froid, mais à la dernière seconde, il parvint à se ressaisir. Paula était allongée sous lui, les yeux clos. Son corps mince ondulait lentement tandis qu'il luttait pour se maîtriser. Il y avait au moins une chose qu'il devait aux putains de Byron : elles lui avaient appris à devenir un amant calme et patient. Il faillit même se mettre à rire en se souvenant de celle qui lui avait dit un jour : « Première règle pour un bon soldat : ne pas décharger son fusil avant la bataille. » La règle n'était pas des plus faciles à observer après un mois d'abstinence, mais en laissant dériver un peu ses pensées, on y arrivait. Penser à Foley par exemple pouvait très bien ralentir le plus lancé des types, ou bien penser à... une deb enceinte. Zack s'arrêta.

– Qu'est-ce qui..., soupira Paula.

– Est-ce que tu es... tu ne risques pas...

– Bien sûr que non! Je t'aurais averti. Me retrouver enceinte est bien la dernière chose dont j'aie envie.

Elle avait l'air si sincère qu'il eût été difficile de ne pas la croire. Mais il savait que son jugement était peu sûr. Il aurait dû lui poser la question avant.

– Juste pour être tranquille, je pense que je vais...

– Zack Mayo! (Elle lui tapota doucement l'arrière-train.) Si tu te retires, je te tue!

– Ça ne m'étonnerait pas. (Il recommença son lent va-et-vient.)

– Je suis catholique, dit-elle encore. Si tu crois que je ne connais pas mon cycle.

– Je te crois, souffla-t-il, je te crois.

Et il perdit son détachement : les yeux fermés, il voguait dans un monde moelleux et bleuté où les gémissements de plaisir de Paula se mêlaient au clapotis des vagues sur le sable.

– Ouaaa ! lança Sid en se souriant à lui-même dans la glace des toilettes. Je n'en suis pas encore revenu. Et toi ?

– Pas revenu non plus. (Zack lui rendit son sourire et commença à se laver les dents.)

– Elles sont incroyables ces gonzesses, non ?

Zack approuva d'un signe de tête. Pour le moment, il les trouvait en effet incroyables, tout au moins Paula. Mais il n'avait pas l'intention de parler sérieusement. Et bon Dieu ! il ne voulait surtout rien ressentir de trop sérieux !

– Les Nymphes de Nellie, gargouilla-t-il, et il cracha une grande giclée de dentifrice et de salive dans le lavabo.

– Bon sang ! hurla Sid. Cette Lynette, c'était quelque chose. Je l'ai chevauchée comme un dingue : elle en était folle. (Il se fit un salut militaire dans la glace.)

– Tu as accompli ton devoir d'officier et de gentleman, ricana Zack.

– Je n'en reviens pas encore tellement ça a été facile. Je veux dire...

– C'est le prestige du rang, mon ami.

– Tu penses que je ne lui plaisais pas pour moi-même ?

Zack éclata de rire, s'essuya la bouche, puis fit mine de se boxer dans le miroir.

– En garde, Foley ! hurla-t-il. Je suis prêt à te recevoir pour une nouvelle semaine.

Sid lui donna un coup de poing sur le biceps.

– La seule pensée du week-end prochain me gonfle à bloc.

Il se remit au garde-à-vous, face à la glace.

– Batteries rechargées, monsieur! aboya-t-il.

Il prit Zack par les épaules et ils partirent en riant vers leur chambre.

Lynette faillit sortir trois fois de la route, mais trente secondes avant le départ pour Port Angeles, la Falcon était embarquée sur le ferry.

– Un de ces jours, dit Paula, ou bien tu nous tueras ou bien nous raterons le bateau. Ce qui reviendra au même parce que ce sont nos parents alors qui nous tueront.

– Tu n'as qu'à abréger tes folies, répliqua Lynette.

– Je préférerais encore rater le ferry.

– Moi, une de ces nuits, je pourrais bien filer vers le sud et oublier de revenir par ici pendant une trentaine d'années.

Paula acquiesça de la tête en observant les eaux noires.

– Viens, sortons d'ici, dit-elle en ouvrant la portière.

Elles quittèrent la voiture et allèrent s'accouder au bastingage, où elles restèrent un moment silencieuses. Lynette, qui pianotait sur le bois rongé par les intempéries, finit par donner un coup de coude dans le flanc de son amie.

– Bon, si tu ne veux pas me demander, c'est moi qui vais le faire. C'était comment?

– Magnifique! dit Paula en souriant dans le vague.

– Magnifique?

– C'est ce que je viens de te dire.

– Des détails, Pokrif. D'après ce que j'ai vu, il a un corps superbe.

– Ça, tu peux le dire!

– Et alors, qu'est-ce qu'il a fait? Je veux dire, est-ce qu'il t'a fait quelque chose de différent?

– Tout était différent.

– Mais de quelle manière?

Paula eut soudain l'impression que son amie violait son intimité; elle se contenta de lui lancer un regard irrité. C'était bien la première fois qu'elle n'avait pas envie de lui faire de commentaires sur l'une de ses soirées. Elle ne pouvait se le cacher.

— Est-ce que tu y es... arrivée?

Paula sourit, les yeux fixés au loin. Elle savait que Lynette mourait de jalousie. Elle n'avait jamais fait l'expérience de la jouissance.

— Et comment ça s'est passé pour vous? demanda-t-elle.

C'était la meilleure façon de détourner la conversation. Lynette haussa les épaules.

— Le grand Sid a explosé au bout de deux ou trois secondes, et après il a eu le culot de me demander: « C'était bien pour toi aussi, mon cœur? »

Paula ne put s'empêcher de rire.

— Pour lui, c'était sûrement la première fois depuis un bout de temps.

— En tout cas, il me plaît vraiment, Paula. Et je pense que c'est le genre de gars qui réussira.

— Je le lui souhaite.

— Il a toutes ses chances; il sort d'une famille d'aviateurs.

— Ça, c'est bien.

— Et Zack?

— Oui, je pense qu'il réussira aussi.

— Je voulais dire: d'où est-ce qu'il vient? De quel genre de famille sort-il?

— Il est resté plutôt vague là-dessus.

— Tu as vu son tatouage?

Paula hocha la tête.

— Et si nous retournions dans la voiture. J'ai envie de m'asseoir.

— Mais bien sûr, pouffa Lynette. L'exercice, ça fatigue.

Elles terminèrent en silence la traversée du détroit. Paula se disait que Zack ne venait sûrement pas d'une famille d'aviateurs, lui. D'après sa façon de parler, c'était plutôt le genre à avoir bourlingué et à s'être fait lui-même. Ça, ce n'était pas pour lui déplaire. Son admiration s'en trouvait même accrue. Tous les gars avec des tatouages qu'elle connaissait n'avaient jamais mis un pied en dehors de Port Angeles. Quelques-uns d'entre eux d'ailleurs flânaient près du bistro de Tim lorsqu'elles passèrent devant. Ils sifflèrent la Falcon, et Lynette leur répondit par un bras d'honneur et un grand coup d'accélérateur.

– Bon sang! dit-elle, et après ils se demandent pourquoi nous draguons les futurs pilotes!

– Le plus dur quand on est une deb, c'est de faire le chemin du retour, murmura Paula pour elle-même.

– Sid va peut-être changer tout ça. (L'optimisme de Lynette était inébranlable.)

– Il t'a donné rendez-vous pour le week-end prochain?

– Non, mais je lui ai dit que samedi soir, je serais à la *Town Tavern*; je suis presque certaine qu'il y viendra. Et Zack?

– Je lui ai dit la même chose. Mais il n'avait pas l'air très chaud pour faire des promesses.

– La cinquième semaine est supposée être la plus dure. En tout cas, il nous faudra penser à prendre du fric juste pour le cas où nous aurions à payer nos bières nous-mêmes, conclut Lynette en arrêtant la voiture devant chez les Pokrifki.

– Bonne idée!

Paula ouvrit la portière et son amie lui donna une amicale pression sur le bras.

– Je te verrai demain à l'église.

– Amen.

Paula sortit et resta un instant dans la rue tandis que la Falcon s'éloignait.

Puis elle se retourna et fit face à la maison en bois plantée sur son socle de moellons. Tout ce qu'elle souhaitait à présent, c'était de se faufiler jusqu'à son lit en évitant une scène. Elle grimpa le perron sur la pointe des pieds, glissa doucement la clef dans la serrure et poussa la porte avec des précautions de cambrioleur. Elle avançait à tâtons dans le living-room quand la voix de son père retentit :

— Paula, viens dans notre chambre !

Elle sursauta et poussa un soupir d'exaspération. Ce type, même fin saoul, l'entendait chaque fois qu'elle rentrait tard. Mais les autres soirs, quand elle essayait de lui dire un mot, il n'y avait pas moyen de le tirer de son apathie d'alcoolique.

Elle ouvrit la porte et s'avança dans la chambre obscure. Soudain la lampe de chevet s'alluma, comme un projecteur dans un commissariat, et Joe Pokrifki se dressa sur son séant, sa poitrine velue tranchant sur le blanc des draps.

— Approche-toi, dit-il en faisant claquer ses doigts. Je veux te voir !

— Je suis désolée de rentrer si tard, dit Paula en restant sur le pas de la porte, mais Mme Rufferwell nous a demandé de l'aider à ranger et...

— Approche-toi, je t'ai dit !

Elle fit deux pas en avant et s'arrêta.

— Papa, je ne veux pas d'histoires avec toi ce soir, je suis fatiguée et...

— Qu'est-ce qui t'a fatiguée ? ricana-t-il.

— Joe !

Esther Pokrifki se retourna et regarda son mari.

— Viens ici, Paula ! Je veux te voir ! tonna-t-il en ignorant sa femme.

— Je t'en prie, papa, soupira Paula en faisant encore deux timides pas en avant.

— Regarde-moi ce sable ! dit-il avec un nouveau ricanement. Tu comptes t'installer une plage privée ?

Paula le fixait sans rien dire.

Il la détailla un moment, puis pointa un doigt inquisiteur vers sa robe.

— Et cette tache humide, là, c'est quoi ?

Elle ne regarda même pas. Ses yeux se posèrent sur sa mère qui, les bras croisés sur sa poitrine, avait pris un air de totale résignation. Elle était probablement perdue dans ses propres souvenirs.

– Je ne sais pas ce que c'est, finit-elle par dire.

– Evidemment!

– C'est sûrement quelque chose qui m'a éclaboussée quand nous faisions le ménage. Ça pourrait être n'importe quoi.

– Mais tu sais parfaitement à quoi je pensais, n'est-ce pas? Est-ce que tu as laissé ce garçon...

– Ça suffit, cria-t-elle. Comment oses-tu me demander ça? (Elle respira profondément, luttant pour ravaler des larmes de rage et avant qu'il ait le temps de lui répondre, elle continua :) Je suis majeure et tu n'as absolument pas le droit de mettre ton nez dans mes affaires de cette façon.

– Tu crois ça?

– Parfaitement!

– Alors, jeune fille, écoute bien ce que je vais te dire : aussi longtemps que tu vivras dans cette maison, tu m'obéiras. D'autre part, ce sont les gars d'ici que tu devrais fréquenter.

– Jamais de la vie! (Paula faillit éclater de rire.) Ils ne valent rien. Ce ne sont que des glandouilleurs.

– Il y a des choses pires que de travailler pour gagner sa vie, dit Joe.

– Vraiment? Eh bien, je préférerais crever que d'imiter tous ceux que je connais.

– Ma foi, murmura Joe, parfois je me demande ce que tous les gens ont à n'être jamais contents.

– Pourquoi n'aurais-je pas le droit de me construire une vie meilleure? En quoi ça te gêne?

Joe hocha la tête.

– Est-ce que tu penses vraiment que tu vas trouver un garçon, dans cette... heu... école d'officiers, qui voudra bien t'épouser?

Paula hésita un instant. Elle n'avait pas envie de se poser la question.

– Parce que si c'est ce que tu cherches, tu es encore plus bête que je le croyais. Tout ce qu'ils t'offrent, ces gars-là, c'est une belle petite grossesse.

Esther releva la tête et lui lança un regard glacial.

– Ça ne risque pas de m'arriver! s'écria Paula.

Elle sentait qu'elle ne pourrait plus retenir ses larmes très longtemps. Elle fit demi-tour et quitta la pièce à toute vitesse. Dans le couloir, elle s'adossa au mur et pressa sa main sur sa bouche. Un terrible silence était retombé sur la maison. Puis elle entendit son père chuchoter à sa mère :

– Esther, est-ce que tu penses qu'elle se sert du... heu... contrôle des naissances?

– Oui, Joe.

Paula fut surprise par le ton de sa mère : il sous-entendait que cela allait de soi.

– Depuis quand? demanda encore Joe.

– Depuis très longtemps.

Paula longea le couloir et entra dans sa chambre. Elle savait que ses deux jeunes sœurs étaient éveillées, mais elle n'avait pas la moindre envie de leur parler ce soir. Elle n'alluma même pas sa lampe de chevet. Elle enleva sa robe et la fourra sous son lit, attrapa son pyjama sous l'oreiller et l'enfila. Puis, allongée sur le ventre, la tête dans les mains, elle refoula ses larmes en se répétant : « Je dois filer d'ici, je dois filer d'ici, si je ne veux pas crever. »

Au petit déjeuner, personne ne reparla de la nuit précédente. Encore un problème enterré sans être résolu. Toute la famille mangeait en silence. Joe Pokrifki lisait les pages sportives du journal. Pourquoi pas? se dit Paula. De toute façon, une nouvelle discussion ne changerait rien au fait qu'ils étaient différents. Elle tentait, mais en vain, de ne pas songer à Zack, et tout le long du chemin, assise à l'arrière de la vieille Cutlass de Joe, elle rêva au samedi à venir. Au moment où ils se garaient devant l'église, elle vit les trois frères de Lynette, puis cette dernière, s'extirper de la camionnette familiale, et enfin son acariâtre de mère. Paula lança un sourire complice à son amie et s'engagea à pas lents sur les marches en pierre de taille.

6

Parce qu'ils avaient goûté à la liberté, la cinquième semaine fut plus dure à supporter. Leur ration de merde n'était pas plus grosse que d'habitude, mais ce bref contact avec le monde extérieur et ses plaisirs la rendait plus difficile à supporter. Zack s'en rendit compte tout de suite et prit les mesures nécessaires. Il était content de ne pas avoir le numéro de téléphone de Paula, et lorsqu'il se prenait à rêver de son corps, il chassait aussitôt de son esprit l'idée de la revoir. S'il obtenait sa perme du samedi suivant et qu'elle était là, il serait temps d'y penser. L'essentiel était de tenir jusqu'au week-end sans flancher. Si elle n'était pas là, tant pis; il se débrouillerait pour en trouver une autre. Cela l'exaspérait de voir Topper Daniels suspendu au téléphone comme si la poule qu'il avait rencontrée comptait plus que le programme. Il aurait sans doute mieux valu pour ce type qu'il retournât dans le civil; pour lui, seul l'entraînement importait. Le reste pouvait attendre.

Au parcours du combattant, il améliora son score de deux secondes et en aérodynamique grimpa à la dix-huitième place. Benson se fit recaler au test et Zack dépassa Sadlier. Ce Benson était le dixième de la section à démissionner, et Zack pensa que désormais il n'y en aurait plus beaucoup d'autres. Si l'on tenait le coup jusque-là, il n'y avait aucune raison de ne pas franchir la ligne d'arrivée. A l'avenir, seul un incident extraordinaire aurait pu leur faire perdre pied. Mais Zack ne relâcha pas pour autant sa tension. Les incidents extraordinaires ne manquent pas dans la vie, et ils bousillent pas mal de gens.

Le vendredi, on les emmena dans le vieux hangar en tôle pour leur faire goûter un spectacle d'un genre nouveau. Foley ne prit pas la peine de les escorter. Ce fut donc un autre gradé qui les conduisit dans le local sombre comme une caverne où ils prirent place autour d'un podium qui avait tout l'air d'un ring. Quand ils furent installés, celui-ci fut soudain violemment éclairé, et la silhouette noire qui se dressait en son centre se révéla être le sergent Foley en personne. Vêtu d'une espèce de pyjama noir, usé et déteint, il se tenait jambes écartées, bras croisés sur la poitrine. On aurait dit qu'il s'était totalement détaché de l'humaine condition.

– Regarde Foley! murmura Zack.

– Chut! (Sid semblait effrayé.)

– Incroyable, non? fit Zack.

Casey jeta à Zack un regard étrange.

– C'est quelque chose, hein, Casey?

Elle regarda Foley, puis Zack à nouveau.

– La présence de la mort n'est pas rien, en effet. Il l'a amenée avec lui. (Elle parlait très sérieusement, semblait-il.)

– Je suis ici pour vous enseigner les arts martiaux, annonça Foley. (Il marqua une pause afin de leur laisser le temps de bien enregistrer l'information.) Pendant l'heure qui va suivre, je vous demanderai d'oublier ma qualité de sergent instructeur. (Il leur adressa son sourire le plus machiavélique.) Imaginez que je suis, disons... votre ennemi. (Il amorça un demi-tour, puis brusquement leur refit face comme si tout à coup il s'était souvenu de quelque chose.) Incidemment, mes enfants (il se passa le dos des mains sur ses vêtements), je porte aujourd'hui l'uniforme d'un soldat viêt-cong que j'ai tué avec... ceci. (Il leva les mains en l'air et les agita en tous sens.) Combat au corps à corps dans la glaise rouge de Plei-Me, situé dans ce qui passait pour être le Sud-Viêt-nam. Je devais alors avoir à peu près votre âge, peut-être moins. Maintenant, je voudrais un volontaire. Qu'en penses-tu, Daniels? (Il adressa au sus-nommé un sourire amical.)

Topper se leva, l'air terrifié. Sid lui caressa le dos :

— Envoie-le à l'hosto, fiston!

— Il n'a pas le droit de me toucher, murmura Topper. C'est la loi.

Il grimpa sur l'estrade, tandis que Foley restait tout sourire.

— Salut, mon chaton. (Son visage se fit soudain de glace.) Jusqu'à quel point tiens-tu à la vie, mon bijou?

Topper l'observa un instant avant de bredouiller :

— Monsieur, votre aspirant officier ne comprend pas ce que son sergent instructeur veut dire, monsieur.

— Eh bien, voyons voir si je peux éclairer ta lanterne, grinça Foley.

Un rugissement s'éleva dans l'assistance : Foley avait bondi sur Daniels et le maintenait cloué au sol, la gorge coincée entre le pouce et l'index.

— Bon Dieu! murmura Casey.

— Il lui fait plus de peur que de mal, dit Zack.

Foley, la mort dans l'œil, toisait Topper.

— Est-ce que tu as assez de couilles pour m'arrêter, mon chaton?

Topper, sur le point d'étouffer, ne dit mot.

— Ou comptes-tu sur ma générosité et mon amour de l'humanité pour ne pas t'achever?

La terreur écarquillait les yeux de l'aspirant qui implora :

— S'il vous plaît! arrêtez, je ne respire plus!

Foley éclata d'un rire diabolique.

Sid et Perryman bondirent et ils allaient se précipiter sur le ring lorsque Topper commença à se défendre. Son instinct de conservation reprenait le dessus, et il finit par trouver assez de force pour se dégager au milieu des vivats. Il roula sur le côté, se tenant la gorge à deux mains, le corps secoué par la nausée. Foley se redressa et lui lança un regard de mépris.

— Dégage! hurla-t-il.

Daniels ne se le fit pas dire deux fois. Un nouvel assaut de ce forcené ne le tentait pas. Le sergent avança en se pavanant jusqu'au bord du ring, s'y assit et enfila des chaussures de savate. La peur de l'assistance, manifestement, le réjouissait.

— Je sais que vous pensez tous que je vous ai malmenés au cours de ces semaines d'entraînement. Mais attendez donc d'être jetés en pleines lignes ennemies pour vous faire une opinion! (Il balaya la salle du regard.) Méditez donc là-dessus, bande de couillons. Et rappelez-vous que tout ce qui vous servira alors, c'est moi qui vous l'aurai appris! (Il attendit que ses paroles fissent leur effet, puis il leur lança un sourire engageant.) O.K., vermisseaux. Maintenant que vous êtes bien attentifs, nous pouvons commencer.

— C'est quoi ce cirque? demanda Perryman alors qu'ils retournaient d'un pas lourd vers leur chambre. Jamais vu un truc pareil!

— C'est à moi que tu dis ça?

Topper Daniels se caressa la gorge en hochant la tête et Sid lui tapota le dos :

— Je me demande s'il y a quelque chose du métier de soldat que ce type ignore.

— Il a sans doute des problèmes relationnels, remarqua Zack avec un petit rire. Absence notoire de sentiments.

— Il doit être fantastique avec un fouet, lança Sid.

– Et des épingles, ajouta Perryman.

– J'ai failli chier dans mon froc tellement j'ai eu la trouille, avoua Topper.

– Il n'est pas si fort que ça, dit Zack.

Les trois autres s'arrêtèrent pour le regarder.

– Merde! Je parie qu'il peut te décapiter d'un coup de pied.

– Pas si je plonge, rétorqua Zack.

Sid eut un reniflement de mépris.

– Il te faudrait de sacrés bons réflexes.

– Je pourrais même l'allonger.

– Allons, Mayo, fit Topper, pas lui!

– Mais si!

Soudain Zack s'accroupit, poussa un cri, tourna sur lui-même comme une toupie et planta gentiment son pied dans le cul de Sid.

– Toi, t'es un dur à cuire, fit Sid. T'es vraiment capable de faire toutes ces saloperies?

Zack montra la paume de ses mains.

– Je suis un gentleman, aspirant Worley. (Il poussa son compagnon dans le vestibule.) J'aurais pu te flanquer un coup de pied dans les couilles, mais je veux que tu puisses t'amuser samedi soir.

– Amen, mon frère.

Sid poussa un cri de victoire en entrant dans la chambre.

– Les mecs, vous n'êtes que deux guignols, remarqua Perryman.

On est peut-être *tous* des guignols, se dit Zack plus tard dans la nuit. Allongé sur son lit, il écoutait Perryman ronfler et Sid murmurer sans arrêt : « Oui, monsieur. Oui, monsieur. » Topper respirait de façon saccadée et de temps à autre laissait échapper de petits grognements. Il en avait vu de raides, aujourd'hui! Sa petite amie le remettrait peut-être d'aplomb le lendemain soir. Zack s'assoupit quelques instants et rêva que Paula faisait son apparition dans le boxon de

Byron, le ventre arrondi, un bouquet de roses fanées à la main. Un sifflement le réveilla. Il ouvrit les yeux et vit Topper debout devant le lavabo en train de pisser.

– Topper! Qu'est-ce que tu fous, bon sang?

Topper lui jeta un regard fautif et Zack fut surpris que le mur ne soit pas entièrement éclaboussé.

– Je me soulage!

– T'as jamais entendu parler des chiottes? J'ai nettoyé ce foutu lavabo ce matin.

Topper se retourna. Dans la lumière de la lune qui inondait la pièce, son visage semblait celui d'un fantôme.

– J'ai la trouille de sortir d'ici, Zack. Foley me tombera dessus. Il dort en haut de l'escalier, tu sais.

– Bon Dieu! (Zack se rallongea, contempla le plafond, puis se tourna face au mur.) Il ne dort pas dans l'escalier, vieux. Il prétend ça juste pour nous faire perdre la boule. Et apparemment, il a réussi.

– Je ne sais plus ce que je fais là, Zack. Je ne sais plus!

– Va donc dormir, Topper. C'est pas le moment de penser à ça.

– J'ai sans doute cru que c'était une bonne occase pour me mettre en avant, mais j'ai pas pris le temps de réfléchir.

– Et moi, je n'ai pas le temps de t'écouter, murmura Zack. Si tu veux te barrer d'ici, va le dire à Foley. Et maintenant, roupille!

Il roula sur le dos, ferma les yeux, totalement réveillé à présent. L'instant d'après, il entendit Topper se glisser dans son lit avec un gros soupir. Guignol n'était pas vraiment le terme, songea-t-il.

La *Town Tavern* ne risquait pas de recevoir un prix pour sa décoration et c'était loin d'être l'endroit le plus sympathique de la ville.

– Ces foutues debs ont du goût, hein? fit Zack qui

avalait sa bière en surveillant les gueules hostiles des six gars massés autour du flipper.

– Pas mal, répondit Sid. Mais on a plutôt l'air déplacés ici avec nos uniformes.

Leurs irréprochables pantalons blancs contrastaient en effet avec les *Levis* et les tee-shirts des jeunes du coin.

Zack interpella le gros barman qui passait devant eux. L'homme s'arrêta et le dévisagea sans rien dire.

– Remettez-nous deux bières!

Le barman se dirigea vers le frigo, sortit deux Bud et les posa brutalement sur le bar.

– Ça fera deux dollars.

– On peut faire une ardoise? demanda Sid avec un grand sourire.

– Non.

– On peut pas faire une ardoise, expliqua-t-il à Zack en balançant deux billets sur le comptoir.

Le barman s'empressa de les ramasser, les froissa dans sa grosse patte, puis les mit en sécurité dans la caisse enregistreuse.

– Ils sont charmants par ici! remarqua Sid. (Il poussa un gémissement d'exaspération tout en regardant vers la porte.) Lynette, tu f'rais mieux de t'ramener, sinon va y avoir du grabuge.

– Arrête ton char! (Zack but une gorgée de bière.) Tu deviens nerveux comme une gonzesse.

– M'emmerde pas, Mayonnaise! T'as pas dit non quand je t'ai demandé de m'accompagner. (Il regarda la porte à nouveau.) J'espère qu'elle va venir.

– Elle va venir!

– Qu'est-ce qui te fait croire ça?

– Parce que t'es un Okie plein de blé. T'es une bonne prise pour elle.

– Te fous pas de ma gueule! J'ai pas de blé, moi.

– Discute pas! T'es fils d'officier et pour moi, ça, c'est comme avoir du blé.

– Bon, et toi?

– Moi, c'est une sacrée histoire, crois-moi!

– Allez! fais pas ton mystérieux! J'suis pas une poule. Raconte.

Zack prit une autre lampée de bière, regarda le sol, puis Sid.

– Eh bien, pour commencer, j'ai passé six ans de ma vie dans le bordel le plus cradingue des Philippines.

– Tu t'fous de moi!

– Ay, *palequero*! Toi vouloir la meilleure? Jamais *hochi* aux P. I. Hé, *mestizo*, quoi tu dis? Dix petits dollars, tu fais tout c'que toi vouloir!

Sid éclata de rire, puis lança un coup de coude à Zack : elles arrivaient.

– Tu me raconteras tout ça plus tard.

– Ouais!

Lorsque Zack vit Paula dans sa robe d'été, il se souvint tout à coup pourquoi il était venu dans ce rade. Elles se frayèrent un passage au milieu des godichons de la ville pour tomber directement dans leurs bras, et les embrasser gloutonnement pendant une bonne demi-minute.

– Je crois qu'on va faire quelques jaloux parmi ces péquenots! fit Zack.

– On s'en fout! (Paula l'embrassa à nouveau, puis s'écarta de lui.) Oh! gémit-elle. Maintenant, ça me revient : Mayo le Rital! (Elle lui adressa un sourire enjôleur.) Bon sang, ce que je suis heureuse de te voir. Je n'ai pensé qu'à ça toute la semaine.

– Moi aussi, dit Zack.

Il l'embrassa encore. Dieu, que c'était bon!

– Qu'est-ce que vous avez envie de faire, les filles? demanda Sid. On reste ici ou bien on va ailleurs?

– On pourrait acheter un peu d'alcool et aller dans un motel, suggéra Lynette.

– C'est pas une mauvaise idée, fit Zack.

– Je vote pour le motel, ajouta Paula.

Ils se dirigèrent tous quatre bras dessus, bras dessous vers la porte. Au moment où ils arrivaient à la hauteur des gars du coin, l'un d'eux bouscula Zack, puis prétendit que c'était la faute de ses copains.

– Hé! laissez passer les tueurs! lança-t-il à ses potes.

– Bien dit, Troy, fit un autre.

Zack se retourna pour lui faire face. Le Troy en question le dépassait de quelques centimètres et pesait probablement une bonne vingtaine de kilos de plus.

– Comment tu nous as appelés? demanda-t-il.

– Tueurs! C'est pas ça ce que vous êtes?

Zack le toisa un instant, avec un sourire. Après quoi, il tourna les talons et sortit. Ils lui emboîtèrent tous le pas, puis Troy le dépassa en courant, pivota et se planta entre lui et la Falcon de Lynette.

– Hé! J'ai quelque chose à te demander.

– Qu'est-ce que tu veux savoir? soupira Zack.

– Hé, vieux! intervint Sid. Laisse tomber! Sinon, tu sais bien que Foley va nous tuer.

Zack le fit taire d'un geste de la main. Il sentait qu'il ne serait pas facile de se tirer de ce mauvais pas sans faire de casse. Il jeta un regard rapide sur les potes débraillés de Troy qui faisaient cercle autour d'eux. Il remarqua également que si Paula avait l'air effrayée, Lynette, elle, semblait tout excitée.

– Ecoutez, les mecs! commença Troy. Vous venez ici pour quelques mois, et vous vous pavanez du pognon plein les poches de vos beaux costumes crème fraîche comme si tout vous appartenait; vous soulevez nos meilleures gonzesses. Et qui c'est qui ramasse les pots cassés une fois que vous vous êtes taillés dans vos petits joujoux?

– C'est pas comme ça qu'ça marche, fit Zack.

– Quoi? C'est pas comme ça?

Zack le sentait sur le point d'éclater et sans doute aurait-il éprouvé la même chose à sa place. Il leva les mains en signe de conciliation.

– Hé, vieux, pourquoi tu retournes pas dans ce bar pour te rafraîchir un peu les idées?

Il s'éloigna, se fraya un passage dans le cercle des spectateurs, puis se dirigea vers la voiture de Lynette. Ça tourne sacrément au vinaigre, se dit-il.

– Hé! lança Troy, j'ai pas fini avec toi, marin de mes fesses. (Il bondit sur Zack, fit voler sa casquette, puis se planta devant lui et se mit en garde.) Allez, ordure! ricana-t-il.

La rixe dura quinze secondes. Zack en passa d'abord cinq à observer Troy qui tournicotait autour de lui. Puis il s'accroupit, bondit et, avant que son adversaire ait pu faire le moindre geste, il lui avait balancé en pleine figure un direct du gauche et un crochet du droit. Troy, à moitié sonné, fut incapable de réagir. Zack, les jambes fléchies, tourna alors sur lui-même, lentement d'abord, puis à toute vitesse, et son pied droit partit comme un boulet de canon vers le nez de son adversaire qui s'écroula K.-O. Ses supporters, avec beaucoup d'ensemble, poussèrent un cri de consternation. Zack leur jeta un coup d'œil hautain; il était clair qu'aucun de ces petits rigolos n'oserait le défier. On aurait dit qu'ils n'avaient jamais assisté à une bagarre de leur vie. Lui n'avait pas oublié le jour où il s'était fait rosser, à treize ans, dans une ruelle des Philippines. Il saisit Paula par le bras et la conduisit vers la voiture. Il fut content qu'elle lui épargne ses commentaires.

– Incroyable! fit Lynette. Vous avez vu le tarin de c'type?

Zack se pencha brusquement vers elle.

– Pour l'amour de Dieu, Lynette, je t'en prie, pourrais-tu fermer ta jolie petite gueule jusqu'au motel?

– Je...

– Peux-tu faire ça pour moi? S'il te plaît!

– Excuse-moi d'avoir une langue, répondit-elle.

– Conduis, mon chou, et tais-toi, dit Sid en la poussant gentiment dans la voiture.

Puis il jeta un regard de sympathie à Zack qui le remercia d'un signe de tête.

Ils s'arrêtèrent dans un débit de boissons pour acheter deux pintes de rhum et quelques autres mixtures. Ensuite, ils louèrent des chambres au *Tides Inn Motel*. En fait, ce que Zack aurait voulu, c'était foncer à 160 km/h sur sa moto. Et au lieu de ça, il se retrouvait assis sur un lit, face à un mur nu, en train de s'arroser sérieusement le gosier. Quant à Paula, après s'être préparé un cocktail, elle était restée quelque temps assise dans un fauteuil à regarder par la fenêtre, puis s'était rabattue sur la Bible Gideon qui traînait là. Zack était incapable de dire quoi que ce fût. Elle se décida enfin à s'approcher de lui et fit le tour du lit.

– Tu veux que je te masse le dos?

Il ne dit rien.

– Ça te ferait peut-être du bien.

Elle grimpa sur le lit, et il s'empressa d'avaler une autre gorgée de rhum. Elle s'installa derrière lui, mais à peine l'avait-elle touché qu'il l'écarta sans douceur.

– Allons, pousse-toi!

– Mais qu'est-ce qui ne va pas, bon sang?

– Cette bagarre, qu'est-ce que tu crois!

– C'est fini, dit-elle avec un haussement d'épaules.

– Je n'aurais jamais dû faire ça. J'aurais dû foutre le camp!

– Il ne t'a pas tellement laissé le choix.

– On a toujours le choix! On peut toujours choisir de se conduire en minus ou non.

Paula redescendit du lit et arrangea ses vêtements.

– Où as-tu donc appris à te battre comme ça?

– Je n'ai aucune envie de parler, figure-toi.

– Comme tu veux! (Elle se dirigea vers la porte, puis se retourna pour ajouter :) Ouvrir un peu ta gueule ne t'aurait pas tué, tu sais.

– Tu veux que j'te baise?

Elle se demanda si elle avait bien entendu.

– C'est ça, hein? (Il lui lança un sourire idiot et

caressa les draps à côté de lui.) O.K., viens là, ma poule. Enlève tes fringues! Je vais m'occuper de toi!

– Mais d'où tu sors? (Sa lèvre inférieure se mit à trembler, puis elle se raidit de colère.) Même si ma vie en dépendait, je refuserais!

– Oublie tout ça, baby, fit Zack en buvant encore une lampée. Fous le camp, un point c'est marre!

– Mais à qui donc crois-tu parler? Je ne suis pas une pute, moi! (Elle baissa la tête.) J'essayais simplement de devenir ton amie, et toi, tu me traites comme si j'étais de la merde!

En tout cas, moi, j'ai l'impression d'en être une, se dit-il. Et il la regarda, l'air le plus dur possible.

– Si t'es mon amie, tu te tailles!

Elle lui jeta un regard haineux et lui dit en ouvrant la porte :

– T'es qu'un zéro, un moins que rien, un menteur! Si ça se trouve, t'es même pas capable de me regarder en face.

Il planta ses yeux dans les siens. C'était peut-être idiot, mais elle était drôlement jolie en colère!

– Et si tu veux mon avis, ajouta-t-elle, tu n'as aucune chance de devenir officier.

Il bondit soudain du lit, sans vraiment savoir pourquoi, et s'arrêta à dix centimètres d'elle. Paula ne savait plus très bien où elle en était. Il tendit une main et referma la porte. Puis il se pencha, l'embrassa aussi doucement qu'il put. Quand il ouvrit les yeux, leurs regards se croisèrent. Il l'embrassa à nouveau et, hésitante, elle se mit à lui répondre. Au bout d'un moment, il s'écarta en déclarant à voix basse :

– Je regrette! S'il te plaît, ne me laisse pas seul cette nuit.

– D'accord, murmura-t-elle. Mais ne me repousse pas!

– Je ne te repousserai pas.

Il l'embrassa encore et ils reculèrent lentement vers le lit.

Il fut réveillé par une odeur de bacon et d'œufs frits – la meilleure odeur qui soit un dimanche matin. Un instant, il crut rêver, puis il ouvrit les yeux : Paula, en jeans et bain de soleil, se tenait dans la kitchenette, une spatule à la main. Elle lui adressa le plus ensorceleur des sourires.

– Bonjour, mon loir!

– Tu es restée là quand même!

– Erreur! dit-elle en secouant la tête. Depuis la dernière fois que je t'ai vu, j'ai parcouru une centaine de kilomètres, dit une centaine de mensonges et autant de jurons.

– Quelle longue nuit!

– Tu l'as dit! Tu as faim?

– Je meurs de faim.

Il sauta du lit et enfila son short. Tandis qu'il s'avançait vers la table bancale sur laquelle Paula avait disposé le couvert, il remarqua un petit bouquet de fleurs sauvages dans un verre d'eau :

– Charmant! fit-il.

– Nous aimons plaire.

Elle apporta la poêle fumante. Zack s'assit, avala quelques bouchées, puis leva les yeux sur Paula qui l'observait, l'air dépité. Il sourit :

– Excellent!

– J'ai pensé que tu aimerais ça.

– Paula, je n'ai jamais essayé de tromper qui que ce soit, ni sur ce que je suis ni sur mes intentions.

Elle l'approuva de la tête.

– Aussi, si jamais au fond de toi...

– Je sais qui tu es, l'interrompit-elle. Et je sais ce que tu veux, du moins je crois le savoir.

– Mais toi, Paula, toi, qu'est-ce que tu veux? Qu'est-ce que tu cherches?

– A me payer du bon temps avec toi jusqu'à ce que tu repartes.

– Sûr?

Il savait déjà que c'était faux. Pourtant, il ne dit rien lorsqu'elle retourna sans répondre dans la cuisine. Bon, pensa-t-il, du moins ça a été dit et apparemment, on ne se raconte pas de bobards. Il avala une demi-tasse de café, puis engloutit le reste de son petit déjeuner comme si Foley planait au-dessus de sa tête, prêt à le renvoyer s'il restait trop longtemps à table.

— Fantastique! conclut-il.

Paula revint dans la pièce et lui servit un autre café. Il tendit alors une main, défit son bain de soleil, embrassa tendrement ses seins.

— La nuit dernière, c'était fantastique aussi, ajouta-t-il.

— Pas mal, fit-elle avec un petit haussement d'épaules.

Il baisa à nouveau ses seins, puis se blottit contre eux. Il aurait pu rester ainsi toute la matinée.

Elle l'observa un instant; jamais elle ne s'était sentie aussi femme.

— Zack?

— Hum?

— Est-ce que je te plais? (Collé à son corps, il rit doucement.) Zack, j'espère que tu ne tomberas pas amoureux de moi.

Il recula et lui jeta un regard étonné.

— T'en fais pas, continua-t-elle. Je ne vais pas prendre les choses au sérieux avec toi. Pas question. Mais toi, comment vas-tu faire pour me résister? Je suis un vrai sucre d'orge.

— T'es mieux qu'un sucre d'orge!

— Tu devrais faire gaffe.

— Et pourquoi donc?

— Parce que ça va être dur pour toi de te lasser de moi.

— C'est vrai, ça?

Il la fit asseoir sur sa cuisse et referma les doigts sur ses seins fermes.

— Je parle sérieusement.

– T'es plutôt culottée, toi! Tu n'serais pas un peu Polack des fois?

Elle se contenta de l'observer de ses yeux vert émeraude.

Il l'attira à lui, lui donna un long et profond baiser. Soudain, plongé dans un univers d'émotions étranges, il fut pris de panique, l'écarta brutalement. Son regard le troublait et il détourna les yeux.

– Zack?

– Ouais! (Il tenta de se reprendre.)

– Qu'est-ce que tu fais quand tu quittes une petite amie?

– C'est-à-dire?

– Tu lui donnes des explications ou tu disparais sans un mot?

– En voilà une bien bonne! (Il repensa aux filles qu'il avait connues... aux Philippines, dans les campus, sur la route... Et finalement, il décida de lui dire la vérité.) Je n'ai jamais eu de petite amie, je veux dire... heu... tu comprends, quoi?

– Hum-hum...! (Elle secoua ses cheveux.) Je comprends parfaitement bien.

– Ouais... (Il n'y avait plus rien à ajouter.) Hé, j'ai oublié de te remercier pour le petit déjeuner.

– A ton service, matelot. (Elle croisa les doigts derrière son cou.) Et maintenant que tu as repris des forces, est-ce que tu te sens capable de me porter jusqu'au lit?

– Toi, t'es trop, tu sais? (Il se leva, traversa la pièce et la déposa avec douceur sur le drap.) T'es vraiment trop.

– Tu n'as encore rien vu, dit-elle en l'attirant sur elle.

7

Du premier coup d'œil, Zack se rendit compte que l'épreuve du Dilbert Dunker nécessitait avant tout une parfaite maîtrise de soi. Le moindre début de panique et l'on était fichu. L'engin se présentait sous la forme d'une cage de couleur orange qui glissait sur des rails presque verticaux; il percutait la surface d'un bassin, culbutait et s'enfonçait sous l'eau. Le futur pilote devait alors se défaire de son harnais, sortir du pseudo-cockpit, et regagner la surface. Facile, à condition de ne pas perdre les pédales. Zack se dit qu'ils auraient dû mettre un ou deux requins dans la flotte pour corser un peu l'affaire.

– Ça ne m'inspire pas confiance, murmura Sid, tandis que Della Serra prenait place dans le Dunker que l'on venait de hisser au sommet de la rampe.

– C'est pourtant bien toi qui m'avais dit que c'était facile!

– C'est ce que mon père et mon frère m'ont raconté. Mais ça doit être épouvantable d'être bouclé là-dedans.

– Tu n'as qu'à t'imaginer que Lynette t'attend à la surface. Ça t'aidera!

– Amen, mon frère. (Sid secoua la tête.) Chouette week-end, hein?

– Ça n'est pas le plus important!

Della Serra leva le pouce pour indiquer à l'instructeur qu'il était prêt; le Dunker fila à toute vitesse sur ses rails et plongea dans le bassin où il disparut rapidement.

– Allez, D. S.! fit Zack.

Une flopée de bulles s'éleva de l'endroit où il avait coulé. Foley s'approcha du bord et se pencha. De l'autre côté se tenait un instructeur avec des palmes et un masque, prêt à intervenir en cas de pépin.

Le Dunker avait touché le fond et la surface de l'eau se calmait. Le silence était total.

Aucun signe de vie! Les aspirants commencèrent à s'agiter et à murmurer. Foley regarda l'instructeur et ce dernier regarda son chef installé au haut de la rampe.

Dix nouvelles secondes s'écoulèrent et Della Serra n'avait toujours pas réapparu.

– Vas-y, cria l'instructeur chef, et celui qui se trouvait près du bassin se laissa immédiatement glisser dans l'eau.

Les aspirants se faisaient plus bruyants.

– Grouille-toi, mec, fit Sid.

– Ne vous inquiétez pas, dit Zack en levant la main. Le type va le remonter, c'est son boulot.

Le groupe redevint silencieux et après cinq nouvelles secondes qui parurent à tous interminables, l'instructeur et Della Serra réapparurent à la surface. Ce dernier toussait, crachait et faisait des efforts pour reprendre son souffle. L'instructeur installé au sommet de la rampe lui fit un signe, pouce vers le bas. Della Serra vomit dans la gouttière du bassin. Quand il releva la tête, il découvrit Foley au-dessus de lui qui le regardait, un sourire très doux éclairant son visage.

– En piste, mon agneau. Ça n'était vraiment pas satisfaisant.

Della Serra ne répondit rien.

– A moins, bien sûr, que tu ne veuilles démissionner tout de suite! continua le sergent avec un sourire encore plus doux.

– Non, monsieur! souffla Della Serra en se hissant hors de l'eau.

Il s'ébroua comme un chien et alla se placer à la queue de la file.

Waltera, Jordan et Gonzales passèrent avant Zack, et chacun refit surface avec la même expression que s'il avait rencontré le monstre du loch Ness.

Quand il grimpa dans la cage, Zack était parfaitement maître de lui. Primo, attendre que le sacré engin s'arrête; secundo, repérer le sens des bulles tout en défaisant le harnais; tertio, les suivre tranquillement. Ça n'était pas plus difficile que ça. Une fois emprisonné par les sangles, il regarda vers le bas, l'eau d'abord, puis Foley.

– Vas-y, Zack! hurla Sid.

Zack reporta son regard sur le bassin et leva le pouce en direction de l'instructeur-chef.

La descente effrénée lui rappela un toboggan. Quand la cage heurta les flots, sa poitrine fut tellement comprimée par le choc qu'il eut de la peine à reprendre sa respiration. Il s'accrocha au harnais et s'y maintint fermement tandis que l'engin cahotait en tous sens en s'enfonçant dans l'eau. Quand enfin il s'immobilisa, Zack se rendit compte qu'il n'avait pas la moindre idée de l'endroit où était la surface. Il ouvrit les yeux et lâcha un peu d'air pour repérer quelle direction prenaient les bulles. Ensuite il se libéra du harnais et fila vers le haut. Lorsqu'il surgit à l'air libre, il se tourna vers Foley avec un grand sourire.

– Pas mal, Mayo-naise, lâcha ce dernier, pas mal du tout!

– Merci, monsieur, dit Zack en se hissant hors du bassin.

– Tu es un aspirant exemplaire, ajouta-t-il, en lui donnant une tape dans le dos.

Son sourire cependant était pour le moins singulier.

– Merci, monsieur.

– Je te porterai une attention toute particulière lors de l'inspection de demain.

– Je ferai de mon mieux, monsieur.

– J'en suis tout à fait certain. (Il tendit un doigt.) Voyons voir ton petit copain.

– Oui, monsieur.

Sid plongea, les joues gonflées comme s'il était en train de jouer du trombone. Il ne resta pas longtemps au fond, mais quand il refit surface, il avait l'air complètement terrorisé. Il nagea jusqu'au bord et rejoignit Zack en essayant de cacher sa peur sous un sourire suffisant.

– Ça va? demanda Zack.

– Bien sûr, fit-il en prenant une profonde inspiration. Du moins j'en ai l'impression. Pourquoi? De quoi ai-je l'air?

– De quelqu'un qui est né pour s'écraser en mer. (Zack leva la tête vers le Dunker.) Regarde, c'est à Seeger!

C'est la mine complètement réjouie que Casey entra en contact avec l'eau, et moins de cinq secondes plus tard, elle refaisait surface.

– Bon Dieu! dit-elle dès qu'elle les eut rejoints, c'était fantastique. Vous croyez qu'ils me laisseraient recommencer?

– Espèce de maso, laissa tomber Zack. La prochaine fois, tu te retrouveras en face d'une immense mâchoire pleine de dents pointues.

– C'est le tour de Topper, annonça Sid.

Ce dernier donnait l'impression qu'il allait faire dans son froc.

– Est-ce que ce machin frappe l'eau avec la même force qu'un avion? demanda-t-il à l'instructeur.

– Rien à voir avec un zinc, mon vieux.

Topper attachait ses sangles.

– N'oublie pas de repérer la direction des bulles, lui rappela l'instructeur.

L'aspirant acquiesça, puis fixa le vide devant lui.

– Prêt? lui demanda l'officier au bout d'un moment.

– Oh!

Topper regarda l'officier, puis le bassin, et finalement leva le pouce.

– Nom d'un chien, murmura Zack lorsque le Dunker s'écrasa dans l'eau.

– Quoi? demanda Sid.

– Tu as vu la tête qu'il faisait? Il était complète-ment terrorisé.

Ils observèrent les vaguelettes qui s'étaient formées, mais pas de Topper! Dans le Dunker lui-même, il semblait y avoir un grand remue-ménage.

– Saute! cria l'instructeur chef au plongeur.

– Je suis sûr qu'il a paniqué, dit Zack.

– Mais qu'est-ce qu'il fabrique, bon sang? demanda Sid.

Personne ne réapparaissait.

Zack regarda Foley. C'était la première fois qu'il lui trouvait l'air inquiet. Quelques secondes s'écoulèrent encore. Soudain, sans même ôter sa casquette, le sergent plongea. Sa baguette et son couvre-chef, seuls, flottaient à la surface de l'eau.

Tous les aspirants se retrouvèrent debout, criant des encouragements à Foley. Qu'est-ce qui pouvait bien se passer là au fond? Impossible de rien distinguer à part de vagues mouvements de corps et toujours ces nuages de bulles.

Un autre instructeur venait à la rescousse quand enfin la tête ruisselante de Foley creva la surface de l'eau. Il maintenait le plongeur d'une main et Topper de l'autre. L'instructeur attrapa le plongeur qui tous-sait et crachait. Quant à Topper, il était inconscient. Sid se précipita pour le tirer hors du bassin. Aussi-tôt, Foley l'écarta, appuya deux ou trois fois violem-ment sur l'estomac de Topper pour lui faire recracher l'eau qu'il avait ingurgitée, et sans perdre une seconde, commença à lui faire du bouche à bou-che.

Moins d'une minute plus tard, le noyé recommença à respirer tout seul; mais il se mit à se débattre. Foley, malgré son air autoritaire habituel, lui maintenait la tête de façon presque maternelle afin qu'il ne se cognât pas contre le carrelage. Peu à peu, Topper retrouva ses esprits. Sa respiration se fit régulière, et une expression de grande tristesse mêlée de honte envahit son visage.

Les autres aspirants s'écartèrent alors, de façon à sortir de son champ de vision.

Il démissionna dans l'après-midi et partit dans la soirée. Le lendemain, jour de l'inspection, son matelas roulé sur son sommier rappelait à ses camarades que, pour eux aussi, la moindre défaillance serait fatale. Perryman avait coincé la boucle de son ceinturon dans le chambranle de la porte afin de l'astiquer. Zack et Sid étaient paresseusement adossés au mur à côté de leurs armoires. Finalement, Perryman lança un regard désespéré à Zack.

— Je n'y arriverai jamais! File-m'en une, mec, implora-t-il sans cesser de frotter comme un fou.

On entendait déjà le pas de Foley.

— Désolé, dit-il, je ne peux pas courir ce risque.

— T'as le temps, souffla Perryman, il vient juste d'arriver chez les nanas.

— Hum!

— Allez, Zack! il faut que je voie ma famille.

— Désolé, fit ce dernier en secouant la tête.

— Allons, mec!

— Et puis, je ne voudrais surtout pas que tu commettes un manquement à l'honneur.

Perryman lui jeta un coup d'œil assassin et balança son chiffon au milieu de la pièce.

— Merci beaucoup, mon vieux!

Zack haussa les épaules.

Sid avait le regard perdu dans le lointain.

Foley entra dans la chambre. Des gouttes de sueur perlaient sur le front de Perryman, mais le sergent ne s'attarda que quelques secondes sur sa personne et son armoire avant de se planter en face de Sid. Avec lui, ce fut encore plus vite expédié. Puis il se posta devant Zack et le fixa sans un mot.

Ce dernier allait dire quelque chose quand le sergent le devança :

— Eh bien, Mayo?

– Oui, monsieur?

Foley avait son sourire prévenant, celui derrière lequel se cachait le tueur.

– Dans chaque contingent, il y a un type qui se croit plus intelligent que moi. (Il fit une pause pour laisser à ses paroles le temps de faire leur effet.) Et dans ce contingent, c'est toi, n'est-ce pas Mayo-naise?

– Non, monsieur.

– Vraiment?

Sans même lever la tête, le sergent brandit soudain son bras gauche. Sa baguette enfonça le panneau du faux plafond, et deux paires de bottes rutilantes ainsi qu'une poignée de boucles de ceinturon dégringolèrent sur le sol. Foley n'avait pas cessé de regarder Zack dans les yeux avec un sourire qui semblait inaltérable.

Zack baissa la tête vers ses affaires, puis la releva en tentant de rester impassible. Il avait perdu la partie, un point c'est tout. S'ils voulaient le renvoyer, ils n'avaient qu'à le faire, mais il ne leur donnerait pas le plaisir de craquer devant qui que ce soit.

– J'exige ta démission, déclara Foley.

– Non, monsieur.

– Je l'exige, Mayo!

– Vous pouvez me foutre à la porte, monsieur, mais je ne démissionnerai pas.

– Je l'exige tout de suite, Mayo! Tu m'entends, tout de suite!

– Non, monsieur! hurla Zack.

Foley resta encore une bonne dizaine de secondes à le fixer intensément, puis son regard s'abaissa sur les chaussures de Zack.

– Pourquoi ne sautes-tu pas dans tes rangers? lui demanda-t-il sur un ton soudain radouci.

– Tout de suite, monsieur.

– Tu sais, continua le sergent, je voulais sortir ce week-end. Et qu'est-ce que j'aurais fait? Je me serais saoulé, j'aurais probablement soulevé une gonzesse, et je me serais éreinté.

– Oui, monsieur, dit Zack.

– Mais grâce à toi, Mayo, tout cela me sera épargné. Je vais passer le week-end ici et je vais t'aider à t'éreinter. Tu vois ce que je veux dire, Mayo-naise?

– Il me semble, monsieur.

– Ah, il te semble! Eh bien, dimanche soir, crois-moi, tu me supplieras à genoux d'accepter ta démission. (Le sergent lui adressa un sourire féroce.) Maintenant, tu as cinq minutes pour être dehors en tenue. N'oublie pas que ton petit cul est à moi pour tout le week-end, mon agneau!

Il virevolta sur ses talons et disparut.

Zack n'hésita que quelques secondes à l'idée que sa soirée avec Paula était à l'eau. Puis il se jeta sur ses vêtements avec une seule pensée en tête : traverser sans flancher l'épreuve que ce sadique allait lui imposer. Sid et Perryman, prostrés, le regardaient se préparer.

– Donne le bonjour aux filles, dit-il à Sid.

– Si tu veux, je reste là, répliqua-t-il. Pour te soutenir!

– Vous êtes vraiment deux cons, dit Perryman en commençant à se changer.

– Merci infiniment, mais je ne pense pas que cela y changerait grand-chose. Il vaut mieux que tu gardes tes forces pour m'enterrer à ton retour. (Il eut un petit rire contraint.)

– Tu tiendras le coup! Tu es un super-fils de garce, tu tiendras le coup, je te dis!

– Si tu le dis! (Zack, assis sur le lit, laçait ses rangers.)

– Nous boirons quelques bières à ta santé.

– Merci!

– Tu as peur?

– Merde!

– Ecoute, Mayo, si jamais tu n'es plus là à mon retour, dit Perryman, autant que tu le saches : je suis content de t'avoir connu.

– Oh, je serai là, rétorqua Zack en finissant de lacer ses chaussures. Même mort, je reviendrai de l'abattoir.

Il fit quelques timides pas de trot sur place.

– Accroche-toi, vieux, dit Sid.

– T'inquiète pas, lança Zack le poing levé. Et il sortit.

En guise d'échauffement, Foley lui fit parcourir huit kilomètres au pas de course. Ni la distance ni l'allure ne causèrent de problème à Zack, mais il savait que ce n'était que le hors-d'œuvre.

– Tu m'as l'air chaud, Mayo! dit Foley. On dirait que tu as besoin d'un petit rafraîchissement.

Zack ne répondit pas.

– Eh bien? demanda le sergent.

– Quoi, monsieur?

– Avez-vous chaud, aspirant Mayo?

– Un petit peu. Oui, monsieur.

– Dans ce cas, je vais te rafraîchir *un petit peu*. En avant, au petit trot!

Ils retournèrent sur le terrain d'entraînement, et Foley le fit stopper au milieu de la pelouse. Les autres aspirants quittaient les baraquements, et des visiteurs passaient sur le trottoir. Foley regarda autour de lui, puis déclara :

– Je reviens dans une minute avec quelque chose de frais, rien que pour toi et moi.

– Oui, monsieur. Merci, monsieur!

– Surtout, ne le répète pas, souffla Foley avec un sourire protecteur. (Il s'éloigna de quelques pas, puis fit volte-face et ordonna :) Au trot sur place, Mayo!

Il hocha la tête d'un air approbateur, en regardant Zack lever les genoux et enfin s'éloigna.

Plus il est loin, mieux ça vaut, pensa Zack. Il avait de la réserve et le sergent n'allait pas le mettre à l'épreuve tout de suite. Quand il revint, Foley tenait un fusil dans une main et un tuyau d'arrosage dans l'autre. Il lui lança le fusil et but une gorgée d'eau.

– Toujours chaud, Mayo?

– Oui, monsieur. (En fait, il crevait de chaud.)

– Pas de problème, on va y remédier! dit le sergent en l'arrosant. Toi, tu continues à courir sur place et moi, je te rafraîchis. O.K.?

– Oui, monsieur!

Foley se mit à tourner autour de lui en le douchant copieusement. Au début, cela fut agréable; il arrivait même à récupérer quelques gouttes dans sa bouche. Mais au bout de quelques minutes, ses rangers furent pleines d'eau, son uniforme lui colla à la peau et le sol devint un bourbier. Chaque pas devenait plus dur et Foley continuait son manège de vautour prêt à fondre sur sa proie. Aucune importance, se répétait Zack. Aussi longtemps que je demeurerai conscient, je tiendrai le coup.

– Tu ne trouves pas qu'il nous faudrait un peu de musique, Mayo?

– Tout ce que vous voudrez, monsieur, gargouilla Zack.

– Musique, Mayo-naise. Rien ne réjouit plus mes oreilles que le son de ma propre voix. Répète après moi, s'il te plaît!

Le sergent attaqua sa petite chanson de marche et Zack répéta chaque phrase.

« Jones Casey était un enfant de salaud,
Il était né dans le caniveau.
Il en sortit à la force du poignet
Et dit : Mesdames, du ciel je suis tombé.
Dans sa piaule, une centaine il en aligna
En leur jurant qu'ils les passeraient toutes dans ses bras.
Il en baisa quatre-vingt-dix-huit. Il en restait deux.
Ses couilles avaient viré au bleu.
Se coucha sur le dos, se remonta la queue
Et les deux dernières
Les prit par derrière. »

Zack absorbait de l'eau en chantant, et il lui fallait

tousser et cracher avant de pouvoir continuer. Quand la chanson fut terminée, il respirait avec difficulté, ses bras pesaient des tonnes, il était enfoncé dans la boue jusqu'aux chevilles.

Foley lui accorda une minute de répit avant d'annoncer :

— Allons au champ de tir; le coucher de soleil y est superbe.

— Oui, monsieur.

Le sergent le laissa dans la boue pendant qu'il allait ranger le tuyau, puis ils partirent vers la plage. Zack commençait à se demander jusqu'où il était capable d'aller. Ce devait être un sadique.

— Repose-toi un moment, Mayo, ordonna-t-il en arrivant près du parcours du combattant. (Ils stoppèrent tous les deux.) Regarde-moi ça! dit le sergent en lui montrant du doigt Casey Seeger qui tentait désespérément de franchir le mur.

Arrivée à un quart de la hauteur, elle dut s'arrêter et se laisser glisser au bas de la corde. Après avoir lancé un coup de pied rageur au mur, elle se mit à plat ventre et commença à faire des tractions pour s'entraîner.

— Elle est restée ici au lieu de profiter de sa permission, Mayo.

Il ne répondit pas.

— En avant, au trot!

Ils repartirent.

— Elle ne parviendra peut-être pas à la fin de la session, mais n'empêche qu'elle a plus de courage et de volonté que vous tous réunis.

Zack lui jeta un coup d'œil.

— C'est vrai ce que je te dis, Mayo. J'ai vu ton dossier. Je n'ai jamais entendu parler des collèges dans lesquels tu es allé. Tu fais sûrement partie de ces enfoirés qui achètent leurs diplômes, hein?

— Non, monsieur. C'a été la chose la plus difficile que j'aie jamais faite... avant ça, monsieur.

Ils entrèrent dans les bois. Foley courait derrière Zack.

– C'est un mensonge, Mayo, susurra-t-il dans son dos.

– Comment, monsieur?

– Tu es passé par des machins bien pires, n'est-ce pas?

Zack lui jeta un coup d'œil par-dessus l'épaule en se demandant ce qu'il savait vraiment.

– Arrêtez de me regarder comme ça, môssieu!

Zack détourna la tête.

– J'ai étudié ton dossier, Mayo. La Navy n'aime pas prendre de risques, tu sais. Elle contrôle tout sur les types auxquels elle va confier un zinc qui coûte un million de dollars.

Laisse-le causer, pensait Zack, occupe-toi seulement de poser un pied devant l'autre.

– Je sais tout sur ta mère, continuait le sergent. Et je sais aussi que ton père est un alcoolique qui bouffe tout son pognon avec les putes.

Zack dut se faire violence pour ne pas se retourner et lui tirer un coup de fusil à bout portant.

– La vie t'a refilé quelques cartes sacrément merdeuses, hein, Mayo?

– Je ne me plains pas, monsieur.

– Non, bien sûr. Pourtant tu es vraiment dans la merde. Et je ne te parle pas d'aujourd'hui en particulier.

Ils sortirent du bois et, sur la plage, Foley se porta à sa hauteur.

– Je t'ai observé, mon gars. Tu ne tournes pas rond! Bien sûr, tu fais le mariolle et tu lances des vannes, mais tu ne t'es pas fait d'amis ici.

– J'ai...

– Non, pas de la même façon que les autres. Pour ça, il te faudrait donner quelque chose que tu n'as pas, quelque chose que tu n'as plus depuis longtemps.

Zack fixait le vide devant lui. Il sentait que Foley le

grignotait peu à peu et il refusait de le regarder. Le salaud savait parfaitement saisir les gens à la gorge ou aux couilles, ou aux deux à la fois.

Ils traversèrent le tunnel en silence et lorsqu'ils arrivèrent sur le champ de tir, Foley hurla :

– Détachement, halte!

Zack obéit, plié en deux pour reprendre haleine.

– Tu dois te mettre au garde-à-vous, mon garçon!

Zack se redressa vivement et mit le fusil en position. Ce n'était pas mieux que d'être au repos, mais c'était mieux que de courir.

Il se doutait que ce qui l'attendait ne serait pas du gâteau. Aussi s'efforça-t-il de se reposer au maximum.

– On se marre, hein, Mayo?

Il ne répondit pas.

– Tu veux savoir pourquoi je ne suis pas officier, Mayo? lui demanda Foley avec son sourire paternel.

– Oui, monsieur. (Il s'était parfois posé la question.)

– Parce que j'ai honte d'être né dans un milieu modeste, parce que j'ai traîné dans le ruisseau, moi aussi. N'est-ce pas ton problème, Mayo? N'est-ce pas pour ça que tu ne t'en sors pas? (Le sergent le regarda un long moment en silence.) Parce que tout au fond de ton petit cœur, tu sais que les autres sont meilleurs que toi.

Ces paroles cinglèrent Zack comme des coups de fouet, mais il garda une attitude parfaitement impassible. Ce bâtard avait peut-être bien raison, mais il était là pour prouver sa valeur, un point c'est tout.

– A présent, tu vas me monter et me descendre ces escaliers au trot jusqu'à ce que je te dise de t'arrêter. Vas-y!

Et Zack monta et descendit, monta et descendit...

Pour le souper, Foley le laissa souffler dix minutes, pas une de plus, puis, devant les baraquements, il lui imposa une heure d'exercice avec le fusil. La punition de l'après-midi avait été très dure, mais la répétition des mêmes gestes – changer le fusil de place, à l'épaule, à terre, à l'épaule, à terre – faillit avoir raison de lui. La seule chose qui l'empêcha de donner sa démission, ce fut la pensée que Foley devait en avoir autant marre que lui. Finalement, après un dernier « Posez arme », le sergent lui dit :

– Rom-pez !

Zack n'en croyait pas ses oreilles. Il resta debout à la même place, regardant Foley.

– Tu m'as entendu, Mayo ? Fous-moi le camp !

– Oui, monsieur.

Il lui rendit le fusil, fit demi-tour et commença à s'éloigner. Il avait encore le temps d'aller retrouver Paula.

– Hé, Mayo !

Zack stoppa et fit demi-tour.

– Oui, monsieur ?

– Rendez-vous ici demain midi à 12 h 30.

– Oui, monsieur, répondit Zack en hochant la tête, et il se détourna, prêt à repartir.

– Mayo !

– Oui, monsieur ? soupira Zack en faisant à nouveau face au sergent.

– Ton survêtement sera repassé et tes bottes brilleront de mille feux, bien sûr.

– Oui, monsieur.

– Tu auras gratté la vieille cire, lavé, reciré et fait briller – je veux que ce soit comme un miroir – tout le rez-de-chaussée de ton baraquement.

Zack se contenta de hocher la tête. Ainsi il était condamné à rester là toute la nuit !

– Est-ce que je me suis bien fait comprendre ?

– Parfaitement, monsieur.

Foley sourit.

– Tu peux y aller, à présent. Dors bien.

– Merci, monsieur.

Zack fit demi-tour et monta les escaliers au pas de course.

Il décida de tout expédier avant d'aller se coucher. Inutile de tergiverser : s'il n'obéissait pas, Foley se ferait un plaisir de le foutre à la porte à coups de pied au cul. Bon Dieu, se dit-il, quand je pense que mon avenir dépend d'une simple couche de cire!

Dans la chambre, il découvrit que le sergent lui avait confisqué toutes les bottes bien astiquées. Il lui faudrait la moitié de la nuit pour mettre les siennes en état, sans parler du parquet. Il se sentait si épuisé qu'il dut se faire violence pour ne pas s'écrouler sur sa couchette. Pas question, se dit-il. Je dois commencer tout de suite, si je veux pouvoir dormir un peu avant midi.

Il alla se remplir un plein pot de café au snack-bar, puis revint au baraquement et s'attela à la tâche.

Il récura d'abord ses bottes avant de les mettre à sécher sur le rebord de la fenêtre pendant qu'il grattait la vieille couche de cire du parquet. Ensuite il enduisit ses bottes d'une première couche de cirage et en attendant qu'elle pénètre le cuir, il lava, brossa, rinça le sol. Il remit une nouvelle couche de cirage sur ses godasses et relava le sol deux fois de suite. Pendant qu'il séchait, il polit les bottes qui commencèrent à briller. Il cira le sol, fit briller le talon et la pointe d'une botte, passa un premier coup de chiffon sur la cire sèche, puis termina sa deuxième botte. Quand le soleil se leva, il prit une douche et recommença de lustrer le sol jusqu'à ce qu'il brille, ainsi que l'avait ordonné Foley, comme un miroir. Enfin, il se rasa, se déshabilla et tomba endormi sur son lit. Il était exactement 8 heures du matin.

Le responsable du réveil vint le secouer à 11 heures et demie, et il avait à peine fini de lacer ses bottes que Foley surgit dans la pièce. Zack sauta sur ses pieds en hurlant :

– Garde-à-vous!

– Repos, Mayo! Es-tu prêt à attaquer une nouvelle journée de réjouissances? Ou bien préfères-tu me donner ta démission tout de suite, afin que nous soyons débarrassés de cette question?

– Prêt pour une nouvelle journée, monsieur!

Certaines parties de son corps – dont il avait ignoré l'existence jusque-là – lui étaient douloureuses.

– Tu as l'air en forme, mon agneau, dit Foley en l'étudiant de la tête aux pieds. Frais et dispos. Je ne t'ai peut-être pas donné assez de boulot hier soir. (Il fit demi-tour et Zack le suivit.) Le parquet n'est pas mal réussi, ajouta-t-il.

– Merci, monsieur.

– Tes petits camarades seront très reconnaissants envers toi, mais tu ne seras pas là pour recevoir leurs remerciements. Dommage!

Zack sortit du baraquement sur ses pas, sans rien dire.

Foley musarda sur la pelouse du terrain de football pendant que sa victime faisait vingt tours de piste. Zack courait aussi lentement que possible pour conserver à la fois son énergie et s'échauffer progressivement. Dieu seul savait ce qui l'attendait. Il n'arrivait pas à démêler jusqu'à quel point Foley tenait réellement à le voir démissionner. Quoi qu'il en soit, il allait lui falloir ingurgiter la suite du menu.

Les huit kilomètres de course furent suivis par trois parcours du combattant, un repas avalé en dix minutes, le nettoyage de la remise du mess des officiers, une épuisante course au trot jusqu'au champ de tir et quatre montées et descentes des gradins inégaux. Pendant tout ce temps, le sergent s'était strictement borné à lui donner les ordres. Quand il arriva au sommet, il eut un petit rire :

– C'est bon, Mayo. Repose-toi un peu!

– Merci, monsieur.

Du haut du bunker, Zack observa la mer tout en

cherchant à reprendre son souffle. Il n'avait pas l'impression que son corps lui permettrait d'aller plus loin, mais il était toujours déterminé à continuer. Il n'abandonnerait pas. Ses muscles flancheraient peut-être, mais il irait jusqu'au bout de ce qu'il pouvait leur demander.

– Relax, Mayo. Assieds-toi!

– Oui, monsieur.

Il savait que quelque chose se préparait, mais comment savoir quoi? Il s'assit.

– Tu te sens mieux?

– Oui, monsieur.

– Eh bien continue, allonge-toi!

– Ça, c'est sympa, monsieur.

– Allonge-toi sur ton putain de dos, ver de terre! hurla Foley. Et tu vas me maintenir tes putains de godasses à quinze centimètres de ce putain de sol!

– Oui, monsieur!

En une seconde, Zack était dans la position commandée. Foley lui sourit alors comme s'il avait été son meilleur ami.

– Bien, mon agneau, c'est parfait.

Il l'observa un moment, puis détourna les yeux vers la mer et se mit à siffloter le *Battle Hymn of the Republic*.

Le sergent ne le regardait même pas. Zack essayait de ne pas le regarder non plus, mais il ne pouvait s'empêcher de lui jeter un coup d'œil de temps à autre. La tentation de reposer ses pieds était forte, cependant il n'y céda pas. Il était persuadé que, même sourd et aveugle, Foley aurait deviné qu'il avait craqué.

Quand ses cuisses commencèrent à trembler, le sergent se retourna. Salopard, pensa Zack. Pauvre sadique! Ses talons, contre sa volonté, se mirent à descendre et il savait que lorsqu'ils toucheraient le sol, le sergent le gratifierait d'un immense sourire. Aurait-il le culot de le foutre à la porte sous le simple prétexte qu'il avait baissé les jambes?

– Hé, Mayo, si on laissait tomber tout ça pour aller boire quelques bières au T.J.'s? Qu'est-ce que tu en penses?

Zack fit non de la tête.

– Allez, mec, tu as autant de chances que moi de devenir officier.

– Monsieur, dit Zack en postillonnant, l'aspirant pense qu'il fera un bon officier, monsieur!

– Absolument impossible! répliqua Foley en éclatant de rire. (Il se pencha jusqu'à ce que son visage soit à quelques centimètres du sien.) Tu n'es pas capable de donner quoi que ce soit à qui que ce soit. N'importe lequel de tes petits copains te le dira.

– C'est faux, monsieur.

Il replia un peu les genoux pour soulager la douleur.

– Tu crois qu'ils auraient assez confiance en toi pour piloter un zinc que tu aurais réglé?

– Oui, monsieur.

– En fait, tu sais, tu es exactement le genre de type à aller vendre son F-14 aux Cubains.

Les jambes de Zack pesaient du plomb, son estomac le brûlait et les accusations de Foley le rendirent soudain furieux.

– Inexact, monsieur! hurla-t-il. J'aime mon pays.

Le sergent se mit carrément à genoux et vint coller sa bouche contre son oreille.

– Allons, pourquoi un tordu comme toi voudrait-il signer avec la Navy, sinon pour se livrer à ce genre de trahison?

– L'aspirant désire voler, monsieur. (Les talons de Zack touchèrent le sol, mais il les releva aussitôt.)

– Ça n'est pas une raison. Tout le monde veut voler. Même ma grand-mère. Tu veux trouver un job dans une compagnie aérienne?

– L'aspirant veut piloter des jets, monsieur!

Il avait l'impression que le fait de hurler soulageait un peu sa souffrance.

– Pourquoi? demanda Foley. Pour la frime, hein?

– Non, monsieur. Je ne tiens pas à faire quelque chose que tout le monde puisse faire.

Ses rangers touchèrent le sol, mais quand Foley les regarda, ils étaient à nouveau en l'air. Zack avait l'impression qu'il allait exploser.

– C'est dommage que tu n'aies pas de caractère.

– J'en ai, monsieur! cria Zack d'une voix trop aiguë.

– Non!

– J'ai beaucoup changé depuis que je suis ici, et je réussirai, monsieur!

– Ça ne risque pas, crétin. (Le sergent lui tourna le dos.) Tu es foutu à la porte!

Les jambes de Zack retombèrent définitivement. Il prit une longue inspiration.

– Vous n'avez pas le droit de faire cela, monsieur!

– Je vais me gêner! (Foley s'était retourné vers lui.)

– Vous ne ferez pas ça!

Zack s'était assis et, les mains sur les genoux, il tentait de ravaler ses sanglots.

– Et pourquoi donc?

– Parce que sorti d'ici, je n'ai rien d'autre. Vous comprenez?

A présent, il sentait de grosses larmes chaudes rouler sur ses joues.

Foley l'observait sans rien dire.

– Je n'ai nulle part où aller, reprit Zack. Ma place, c'est ici! (Il s'essuya le visage du revers de sa manche.) Et je réussirai, monsieur!

Le sergent continua de le contempler en silence pendant une longue minute, puis il lui ordonna :

– C'est bon, Mayo. Debout!

Zack eut un instant l'impression qu'il allait tomber en miettes, mais il découvrit que ses mollets arrivaient encore à le porter. Il parvint même à faire quelques pas. Il était en train de réfléchir à ce qu'il pourrait dire à Foley pour le convaincre, lorsqu'il vit la petite embarcation et entendit les cris. Ils se tournèrent tous deux vers la mer.

Le bateau n'était qu'à une cinquantaine de mètres, mais Zack reconnut immédiatement Paula et Lynette. Et le type qui les accompagnait, un sac en papier sur la tête, ne pouvait être que Sid. Ils faisaient tous trois de grands gestes dans leur direction puis, avec un ensemble quasi militaire, ils se retournèrent, baissèrent leurs pantalons et montrèrent leurs fesses. Zack retrouva assez d'énergie pour rire. Sid se reculotta et cria :

— N'abandonne pas le navire, Mayo!

— Tiens bon, Zack! hurla Paula.

— Merde au torpilleur et souviens-toi du *Tides Inn Motel*! lança Lynette en levant le poing.

Ils étaient secoués par un tel fou rire qu'ils faillirent chavirer.

Foley laissa Zack les regarder encore quelques secondes, puis il le poussa du bout de sa baguette.

— En avant, Mayo!

— Oui, monsieur.

Il redescendit les marches, un large sourire aux lèvres. Il lui semblait avoir des ailes.

— Des amis à toi? demanda Foley.

— Oui, oui, dit Zack fièrement.

— Tu n'es peut-être pas complètement foutu, alors, dit-il.

Peut-être pas complètement, en effet, pensa Zack.

Les deux hommes trottèrent en silence jusqu'à la base.

En guise d'extra, le sergent lui fit nettoyer sa propre chambre, et Zack venait à peine de terminer quand Sid et Perryman rentrèrent, du pas fatigué de gens qui ont bien profité de leur week-end.

Perryman lui lança un regard plein de hargne.

— Je vois que tu n'as pas démissionné, Mayo.

– A vrai dire, ils m'ont nommé concierge.

Perryman s'écarta et Sid serra la main de son ami.

– Salut, mec, dit Zack. Merci pour le spectacle de cet après-midi.

– J'avais pensé que vous iriez là-bas. (Sid l'enveloppa d'un regard inquiet.) Comment ça s'est passé?

– Je suis toujours là, dit Zack en haussant les épaules. Et j'ai bien l'intention d'y rester.

– Bon sang, j'étais sûr qu'il n'aurait pas ta peau.

– Oh, il aurait pu l'avoir. On peut avoir la peau de n'importe qui, il suffit d'aller assez loin.

– Peut-être, avoua Sid.

– Hé, Mayo! appela Perryman.

Zack se retourna. Perryman avait trouvé la paire de bottes parfaitement cirées et deux boucles de ceinturon luisantes sur son lit.

– Tu n'aurais pas dû, mec.

– Il me semblait que je te devais bien ça.

– Eh bien alors, merci!

– On fait la paix?

– O.K., on fait la paix.

– On dirait que ce coin a été remis à neuf, lança Sid.

– Dis donc, tu n'aurais pas un message pour moi? demanda Zack.

– De la part de qui? (Sid se dirigea vers son armoire et commença à ôter son uniforme.) Ah, oui! j'ai failli oublier. Elle a dit qu'elle le gardait pour toi.

– Elle m'a vraiment manqué.

– Tu lui as manqué aussi.

– Je peux bien te le dire, même à cinquante mètres de distance, il était vraiment chouette.

– Je n'en sais rien. Avec ce sacré sac sur la tête, je n'ai pas pu le voir.

– C'était bien la seule solution pour que tu ne bandes pas.

– Et lui? (Sid pointa du doigt.) Tu penses qu'il tiendra le coup jusqu'au week-end prochain?

– Il est inflexible, dit Zack. Et puis, je n'ai pas le choix.

En fait, la semaine suivante fut moins dure qu'il ne s'y attendait. Le soulagement d'être toujours là l'aida à supporter la fatigue du week-end et il parvint à battre de deux secondes son propre record au parcours du combattant. Il prit même du plaisir à certaines activités. Le vendredi, lors de l'exercice du port d'arme, il se sentit fier d'être là, avec ses compagnons.

Mais quand on les libéra le samedi, il ne fut pas long à rejoindre Paula dans le grand lit du *Tides Inn Motel*.

8

Ils y restèrent la plus grande partie de la soirée. Zack ne se leva que pour un souper tardif arrosé de deux bières. Ils firent l'amour au milieu de la nuit et recommencèrent au réveil. Puis, laissant Sid et Lynette au motel, ils allèrent prendre un immense petit déjeuner et se promener sur la plage, mais ils regagnèrent leur chambre avant midi. Cette fois-ci, ce fut elle qui vint sur lui, et ils refirent l'amour lentement jusqu'à jouir ensemble avec des gémissements de plaisir qui auraient dû ébranler les murs. Zack, étendu sur le dos, avait un air béat. Paula se pencha sur lui et le prit dans ses bras.

– Ça n'a jamais été aussi bon, murmura-t-il en ramenant la couverture sur eux.

– C'est vrai, avoua-t-elle.

Ils restèrent enlacés sans rien se dire pendant un bon quart d'heure, puis Paula rompit le silence :

– Est-ce que tu peux aller me chercher une serviette ?

– Oui, bien sûr.

– Non! Je ne veux pas que tu t'en ailles.

– Je ne le veux pas non plus, dit-il avec un petit rire. Et je ne veux pas non plus que toi tu t'en ailles.

– On n'est pas sortis de l'auberge!

– Il faut pourtant bien se déplacer, parfois...

Elle porta la main à son front, le visage tragique :

– « On les a retrouvés tout ratatinés : ils étaient restés des semaines sans eau ni nourriture. »

Zack rit tellement qu'il faillit tomber du lit. Dieu qu'elle est belle! songea-t-il. Il prit son visage entre ses mains et l'embrassa passionnément. Puis il recula pour mieux l'admirer.

– Toute la semaine, j'ai pensé à cette histoire de bateau.

– Nous étions plutôt ivres, dit-elle en riant à nouveau. Tu sais, le soleil et la bière...

– Oui! oui!

Elle s'allongea à côté de lui, puis se pencha pour attraper sa casquette sur la table de nuit.

– Tu sais, parfois j'aimerais bien faire partie de ces filles qu'ils ont engagées. J'aimerais tant piloter un avion!

– Qu'est-ce qui t'en empêche?

Paula sourit en hochant la tête comme s'il devait savoir la réponse.

– Je me fiche de ce que les magazines racontent sur les femmes et tout le boniment. Mais en être une n'est vraiment pas facile, surtout lorsqu'on vient d'une famille de catholiques.

– Je te crois!

– Tu ne peux pas imaginer toutes les fariboles qu'ils m'ont racontées sur la façon dont les femmes doivent se comporter.

– Mais ce n'est pas une excuse pour ne pas faire ce dont tu as envie...

– Qui te dit que je ne le ferai pas? Ma mère a

trente-neuf ans, et elle bosse encore dans cette usine. Chaque fois que je la vois, je sais exactement ce que je ne veux pas devenir.

Zack, un bras posé sur le front, contemplait le plafond. Soudain il se sentit très loin d'elle. Puis tout à coup il décida de le lui dire :

– Un jour, pendant que j'étais à l'école, ma vieille a avalé une boîte de comprimés.

Il fut étonné à quel point ça avait été facile de le lui avouer. C'était la première fois qu'il le racontait à quelqu'un!

– Mon Dieu! (Elle lui caressa la joue.)

– Et tu sais ce qui m'a foutu en l'air et pourquoi je lui en veux? (Il se revoyait fouillant avec désespoir leur vieil appartement de fond en comble.)

Paula secoua la tête.

– Elle n'a laissé aucune lettre, pas un mot.

– Ça a dû être très dur!

Il ne dit rien.

– Ça l'est encore?

– Mais non! On est toujours seul dans la vie quels que soient ses amis ou sa famille. Une fois que tu t'es bien fourré ça dans le ciboulot, plus rien ne te touche.

Elle lui donna deux petits baisers sur le torse, puis le regarda avec son sourire espiègle.

– Je parie que les gens te croient quand tu leur tiens ce genre de discours.

– Mais toi, d'où tu sors, au fait?

– Je suis l'envoyée de ton ange gardien.

D'un baiser, elle lui ferma les lèvres.

Zack endura les épreuves de la semaine suivante sans penser à rien. Lorsque l'exécution des ordres de Foley n'accaparait pas son esprit, il baignait dans un univers étrange et lointain. Les émotions que Paula éveillait en lui le dérangeaient; il craignait de s'attacher à elle. Il se méfiait parce qu'elle était une deb, l'avait toujours été et qu'elle chercherait sans doute à en racoler un autre dès qu'il serait parti. Il pensait à sa mère plus souvent depuis quelque temps et, par deux fois, il s'était réveillé au milieu du même cauchemar : il tentait en vain de remettre debout son corps raide. Puis, au milieu de la semaine, Byron lui téléphona pour lui annoncer qu'il viendrait le dimanche suivant assister au meeting aérien et qu'il aimerait bien le voir. Zack se disait parfois qu'il serait plus facile de suivre tout l'entraînement sans aucun contact avec l'extérieur, car ça compliquait trop les choses.

Pour couronner le tout, il but à en être ivre mort, le samedi soir avec Paula, Sid et Lynette en regardant deux films d'horreur dans un *drive-in*. Sur le chemin du motel, Lynette faillit les précipiter dans l'océan en ratant un virage. Le dimanche matin, à son réveil, Zack était d'une humeur massacrante, et au fur et à mesure que la matinée s'écoulait, le mal empira. Lorsqu'il arriva sur le terrain d'aviation où devait se dérouler le meeting, il comprit que c'était la rencontre prévue avec son père qui l'avait mis dans cet état. La veille, il avait parlé de Byron à Paula, mais il ne tenait pas à faire les présentations.

— Je regrette, mais je ne m'assiérai pas à côté de toi, lui annonça-t-il.

— Je comprends, fit-elle, légèrement dépitée. Nous nous verrons peut-être après le spectacle.

Elle suivit Sid et Lynette dans les gradins.

Zack observa quatre chasseurs qui arrivaient en rase-mottes au-dessus du terrain avant d'amorcer une chandelle. Puis il avisa Byron dans les gradins, une bière à la main. Il se dirigea vers lui.

Son père acheva sa bière et l'accueillit avec un grand sourire. Zack s'assit à côté de lui.

— Comment ça va, vieux ?

— Je vois que t'es encore en vie, fit Byron en lui lançant une grande claque dans le dos.

Zack se contenta de hocher la tête et se mordit la

lèvre pour éviter toute discussion. La tête levée, il suivit deux avions qui exécutaient des loopings.

– Ce qui t'intéresse, c'est la vitesse, hein?

– Mais non, y a pas que ça, répondit-il, exaspéré.

– J'ai vu la fille avec qui t'es venu.

Zack haussa les épaules.

– Qui c'est?

– Personne.

– Comment ça, personne?

– C'est juste une gonzesse avec qui je baise depuis deux semaines.

– Beau cul! approuva Byron.

– C'est à peu près ce que je me suis dit.

– Mieux vaut éviter ce genre-là, Zackie.

– Hein?

– Tu sais comment on les appelle?

– Mais oui!

Byron poursuivit comme si Zack n'avait rien dit.

– Près de Newport, à Rhode Island, on les nomme les debs des Chutes d'Eaux; à Pensacola, les debs volantes. A Norfolk...

– C'en était une, hein?

– Qui? (Byron regarda son fils d'un air ahuri, puis détourna la tête lorsqu'il comprit.) Et merde, Zackie! Recommence pas avec ta mère, s'il te plaît!

– Et si moi je veux te parler d'elle?

– Euh...

– Je sais, tu as toujours refusé.

– Je ne veux pas parler d'elle, un point c'est tout!

– Moi, si!

– A quoi bon, bordel? dit Byron en avalant une bonne gorgée d'une nouvelle bière.

– C'est important pour moi!

– Eh bien, je n'ai rien à te dire. Avec ta vieille, je n'ai baisé que deux fois. Et on s'est à peine causé. Voilà!

Les jets rugissaient au-dessus d'eux, et Zack dut hausser la voix pour se faire entendre.

– Ce n'est pas tout à fait ça qu'elle racontait. Elle disait que tu lui écrivais toutes les semaines.

Byron nia d'un geste de la main.

– J'ai écrit, oui, mais pas toutes les semaines.

– Elle racontait aussi que dans toutes tes lettres, tu lui disais ton amour, que tu voulais l'épouser et avoir des enfants avec elle.

– Je n'ai jamais raconté des bobards pareils!

Byron sortit une cigarette et l'alluma.

– Tu mens, vieux. Tes lettres, je les ai toutes lues, les unes après les autres.

Byron secoua la tête et contempla la pointe de ses chaussures. Puis il regarda son fils droit dans les yeux :

– D'accord, j'ai écrit ça. J'ai pensé un moment me mettre à la colle avec ta mère. Mais quand elle m'a fait le coup de la femme enceinte, j'ai compris qui c'était.

– C'est-à-dire?

Byron jeta un œil autour de lui pour s'assurer que personne n'écoutait :

– Que c'était une salope!

Zack observa son père quelques instants, n'en croyant pas ses oreilles.

– Comment tu l'appelles?

– Allons, fiston!

– Comment tu l'appelles, fumier? (Zack bondit, prêt à se battre.)

– Zack, je...

– Elle t'aimait, espèce de porc!

Quatre chasseurs qui passèrent dans un bruit de tonnerre juste au-dessus d'eux les empêchèrent de poursuivre. Byron fit un geste d'impuissance, Zack, une moue de dégoût.

– Et elle te croyait quand tu lui disais que tu l'aimais! Elle a toujours cru que tu reviendrais!

– C'est fini, fiston, tout ça. On ne peut plus rien faire maintenant.

– Tu peux au moins respecter son souvenir. (Zack se pencha vers son père et agita un doigt menaçant.) Si tu reparles d'elle de cette façon, je te tue!

Il le fusilla du regard, le forçant à baisser les yeux, puis lui tourna le dos et se fraya un passage parmi la foule.

Il était à mi-chemin lorsqu'il entendit un bruit de course derrière lui.

– Zack, attends! hurlait Paula.

Il continua d'avancer, mais elle arriva à sa hauteur.

– Qu'est-ce qui se passe, Zack?

– Rien! Retourne voir le spectacle.

– Je l'ai déjà vu cent fois au moins. Je veux être avec toi et j'aimerais connaître ton père.

– Fous-moi la paix! aboya-t-il.

– T'en as marre? Ça suffit pour toi? Eh bien, je vais te laisser tranquille. (Elle tourna les talons et rebroussa chemin.)

Zack mit la Triumph en marche et suivit Paula du regard. Il se détestait de la larguer ainsi. Soudain il fit demi-tour, la rattrapa et lui adressa un sourire d'excuse. Comme elle continuait de marcher, il lui bloqua le passage avec sa moto. Elle lui lança un regard furieux.

– Hé, c'est pas demain dimanche que tu m'as invité à manger chez toi?

Elle le contempla comme s'il était devenu fou.

– Allez, invite-moi! Toute la journée, ça m'a trotté dans le crâne, cette idée d'un repas de famille. Et comme t'es la seule que je connaisse dans le coin à en avoir une...

– Zack!

– Eh ben? (Il souriait.)

– Je ne sais pas si ça me tente vraiment.

Sid et Lynette, un peu pâles, s'avançaient vers eux :

– J'en ai plutôt marre, Paula. Tu n'as pas envie de rentrer?

– Pourquoi pas? Allons-y!

Sid embrassa Lynette.

– Toi, tu fais trop l'amour! dit-il en lui tapotant le derrière.

– A bientôt, fit Paula en donnant à Zack un rapide baiser sur la joue.

Elles s'éloignèrent en direction de la Falcon.

– Alors, cette invitation? hurla Zack. Quand est-ce que tu me préviendras?

Paula se retourna, aguichante.

– Quand j'aurai la forme!

Il la suivit du regard jusqu'à ce qu'elle ait disparu dans la voiture.

– Les femmes! conclut-il.

Sid monta sur le tan-sad derrière lui.

– Qu'est-ce qu'il y a, mon agneau? Une scène de ménage?

Zack embraya et fonça vers la base.

Sur le ferry, Paula et Lynette commandèrent deux tasses de café, puis passèrent sur le pont. Port Rainer disparaissait dans le lointain.

– C'est sérieux, cette invitation? s'enquit Lynette.

– Je ne suis pas vraiment décidée.

– C'est un grand pas en avant.

– Je ne veux pas le vexer en refusant et, d'un autre côté, je n'ai pas spécialement envie de les voir tous en train de le reluquer des pieds à la tête.

– Je te comprends.

– Dans l'un et l'autre cas, ça me retombera sur le dos.

– Amen! fit Lynette en avalant une grande gorgée de café.

– Mais en principe, il m'aime bien, n'est-ce pas?

Lynette acquiesça, l'air sceptique.

– Donc, si ma famille ne lui plaît pas, ça ne changera rien, pas vrai?

– Oui, en principe. (Lynette admirait la mer.) Mais dans les faits, non.

— Et merde! fit Paula.

Les deux amies restèrent silencieuses quelques instants. Puis :

— Paula?

— Hein?

— T'es prête à aller jusqu'où pour l'agrafer, ce mec?

— J'comprends pas.

— Tu sais très bien ce que je veux dire. Est-ce que tu irais jusqu'à tomber enceinte?

— Pas question! Et d'abord, pourquoi je le ferais?

Lynette détourna les yeux.

— Jusqu'à présent, j'ai toujours cru que je n'aurais pas besoin d'aller jusque-là, mais je n'en suis plus si sûre.

— Oh! Lynette! (Paula ne voulait pas entendre parler de ça.)

— Tu vois, je me demande si neuf semaines, c'est assez long pour qu'un de ces types devienne amoureux.

— En tout cas, ça ne justifie pas le fait de se faire engrosser pour en coincer un.

— J'en sais fichtre rien.

— Je n'arrive pas à croire que tu y penses sérieusement, Lynette. C'est vraiment trop vieux jeu.

— C'est toi qui le dis. Tu crois que la façon dont agissent ces enculés en mal de baise, c'est pas vieux jeu? On tire un coup et *ciao*! (Lynette cracha pardessus bord.) T'as pas l'impression qu'ils se servent de ton cul? Tu crois pas qu'ils devraient payer un peu en échange?

— Non!

Elle parle comme une deb, pis, une pute, se dit Paula. Y a rien à faire. Une fois que les nanas commencent à penser de cette façon, c'est toujours le même scénario : elles finissent par se retrouver enceintes. Et après, le choix est simple : ou élever le gosse toute seule ou forcer le premier imbécile venu à vous épouser. Non, non, très peu pour elle! Si Zack baisait avec elle et l'oubliait ensuite, ça serait sa faute à elle. Elle connaissait la règle du jeu avant de commencer la partie. Et puis, après tout, pourquoi un type ne serait-il pas tombé amoureux d'elle? Pas besoin de chercher à en coincer un.

— Hé! (Elle donna un coup de coude à Lynette.)

— Quoi?

— Je vais inviter Zack à déjeuner. Dimanche prochain.

— Toi, t'es pas comme les autres, fit Lynette, étonnée.

— T'as raison.

Elle prévint ses parents le soir même. L'idée plut à sa mère (un peu trop à son goût) et, après quelques objections, son père finit par accepter. Le lundi, Paula appela Zack et il dit oui. Il lui restait toute la semaine pour se faire de la bile. Elle n'eut même pas le plaisir de passer la nuit du samedi avec lui à cause d'un entraînement supplémentaire imprévu. Le dimanche matin, elle aida sa mère à préparer le déjeuner. Mais vers midi, elle devint si nerveuse qu'elle faillit tout laisser tomber.

Esther aussi était nerveuse, mais elle fit de son mieux pour encourager sa fille.

— Tu es très jolie, tu sais.

— Tu trouves?

Elle se sentait comme une jeune pucelle qui va à son premier rendez-vous.

— Mais oui, et je suis sûre que tout se passera bien.

— Maman, je ne voudrais pas agir comme une idiote. (Elle commençait à avoir des doutes : c'était peut-être une erreur d'avoir invité Zack.) Je l'aime beaucoup, mais...

— Ma chérie, fais donc ce qui te plaît. (Esther lui donna une chiquenaude.) Si, pour lui, ce n'est pas suffisant...

– Attends! (Paula la fit taire d'un geste, puis écouta le bruit d'une moto qui freinait.) Mon Dieu! Le voilà!

Paula et Esther regardèrent par la fenêtre : Zack descendait de sa Triumph, défroissait son uniforme et remontait l'allée, un bouquet de fleurs à la main.

– Quel beau gars! murmura sa mère. (Elle semblait tout à coup avoir rajeuni de vingt ans.)

Paula lui jeta un coup d'œil, secoua la tête et quitta la cuisine.

Joe Pokrifki, assis dans un fauteuil près de la fenêtre du living-room, observait l'arrivée du fringant aspirant. Il lança à sa fille un regard sombre.

– S'il te plaît, papa, sois aimable avec lui, implora-t-elle.

Joe ne répondit rien. La sonnette retentit et elle sortit de la pièce.

– Salut, fit-elle sur le pas de la porte.

– Salut, fit-il en écho. Pas de problème?

Paula secoua la tête, puis désigna les fleurs.

– C'est pour moi?

– Non, pour ta mère.

– Oh! (Elle le regarda sans bouger ni parler.)

– Alors, on entre? demanda-t-il.

– Un instant, dit-elle. Puis elle se tut.

– Heu... y a un mot de passe ou un truc de ce genre?

– Cette semaine, comment ça s'est passé?

– Charmant, charmant!

– Encore des démissions?

– Non. Pourquoi on reste là? Y a un chien méchant à l'intérieur ou quoi?

Elle fit un pas de côté et lui prit le bras. La barbe, tout ça, pensa-t-elle. Mais les dés étaient jetés.

Ce furent les deux heures les plus pénibles de sa vie. Son père resta de marbre; ses deux sœurs n'arrêtèrent pas de caqueter et de glousser en lorgnant Zack. Mais le bouquet, ce fut sa mère : avec des yeux mouillés de collégienne, elle le bombarda de questions sur les familles des aspirants, s'excusa mille fois pour sa cuisine, raconta même des histoires gênantes sur son enfance! Ils terminaient le dessert qu'elle le remerciait encore pour les fleurs!

— Tout le plaisir est pour moi, madame Pokrifki. (Il regarda Joe qui le dévisageait d'un air hostile.)

— Vous aurez votre diplôme dans combien de semaines? s'enquit Esther.

Il leva trois doigts.

— Mais le plus dur reste encore à faire, n'est-ce pas?

Cela gênait Paula que sa mère fût aussi bien informée. Toujours ce vieux syndrome de la deb! Elle aurait voulu disparaître sous terre.

— J'ai entendu dire qu'effectivement ce n'était pas facile, dit Zack. Mais personnellement, je crois que le plus dur est passé.

Il lui sourit, puis à Joe, mais ce dernier garda son visage renfrogné.

— Excusez-moi, monsieur, fit Zack, mais pourquoi me regardez-vous de cette façon?

— Moi, vous regarder?

— Oh, Zack! intervint Esther. Il est toujours comme ça, vous savez. Ça ne veut rien dire. N'est-ce pas, Joe?

Joe jeta un coup d'œil à sa femme.

— Ça ne veut rien dire, répéta-t-il, en baissant une seconde le nez sur son assiette; mais il recommença aussitôt à fixer Zack.

Ce dernier engloutit en trois bouchées la fin de son dessert, se renversa sur le dossier de sa chaise et se frotta l'estomac.

— Excellent, madame Pokrifki.

Elle le remercia d'un long sourire silencieux.

— Vraiment excellent! Le meilleur repas que j'aie pris depuis bien, bien longtemps.

– Merci, Zack.

Soudain Paula recula sa chaise et se leva brutalement en saisissant le bras de son invité.

– Viens! Allons faire un tour! (Elle se sentait incapable de rester une seconde de plus à table.)

Dès qu'ils eurent franchi le portail, elle éclata en sanglots. Zack lui entoura les épaules mais elle continua à pleurer à chaudes larmes.

– Allons, allons, fit-il.

– Je suis si gênée. Jamais je n'aurais dû t'amener chez eux, bégaya-t-elle.

– C'est rien. C'était vraiment un bon repas. C'est simplement dommage que l'on soit tous restés si... froids. Je suis sincèrement désolé pour toi.

Elle sortit un mouchoir de son sac, s'essuya les yeux, se moucha.

– Merde! fit-elle.

– Oublie tout ça.

– Oui, monsieur.

Ils marchèrent un peu sans parler, puis elle dit :

– Une fois que t'auras ton diplôme, t'entreras directement à l'école d'aviation, c'est ça?

Il acquiesça d'un signe de tête.

– A Pensacola?

– Oui, oui! (Il contempla le ciel.) Ensuite, si je suis versé dans les chasseurs, ça sera Beeville, au Texas.

– Zack?

– Ouais?

– T'as jamais pensé à avoir des enfants? Tu sais... enfin... une famille.

Elle ne savait même pas pourquoi elle lui demandait ça. Ses paroles avaient dû sonner faux.

– Non! Pourquoi? C'est ce que tu veux, toi?

– Un jour. (Ils croisèrent un gosse qui pédalait sur son tricycle.) Quand je serai sûre de pouvoir les élever mieux que mes parents ne m'ont élevée.

– Chouette idée!

– Comme t'as pu le voir, ils n'ont pas tellement bien réussi.

– Est-ce que tu crois que tu ferais mieux qu'eux ?

– D'abord, je n'épouserai un homme que si je l'aime.

D'un coup de pied, Zack envoya une pierre rouler dans l'herbe.

– Pourquoi ta mère a épousé ce type si elle ne l'aimait pas ?

– Parce que mon vrai père ne voulait pas l'épouser.

Il s'arrêta et la regarda un instant.

– Ton vrai père ?

Qu'est-ce que ça peut foutre, se dit Paula. Pourquoi pas tout lui raconter ? Inutile de lui mentir. Jouons donc à quitte ou double. D'un geste hésitant, elle sortit une photo abîmée de son portefeuille.

– Oui ! fit-elle.

Lui ! Elle lui avait toujours trouvé belle allure, surtout à cause de son impeccable petite moustache. Bien sûr, l'uniforme de l'armée de l'air ne gâchait rien.

L'air songeur, Zack observa longuement la photo.

– Ton vrai père était donc aspirant officier ? Comme moi ?

– Il y a vingt-deux ans, oui.

– Bon Dieu ! fit Zack.

– Quoi ?

– Je comprends maintenant pourquoi ton... euh... beau-père me reluquait de cette façon. Je ne lui en veux plus.

– C'est aussi sans doute pourquoi ma mère te dévorait des yeux.

– Ouais ! (Soudain, il se sentit nerveux : il marchait d'un pas saccadé. Au bout de la rue, ils firent demi-tour et bientôt il jeta un coup d'œil à sa montre.) Il me faut rentrer à la base à présent.

– Déjà ?

Il a eu peur, se dit-elle. Mais je ne vais pas le supplier de rester. Faut lui laisser le temps de réfléchir, de se décider.

– On a plein de trucs à préparer pour la semaine prochaine, expliqua-t-il.

– J'espère que tout se passera bien.

– Merci. (Il lui donna un petit baiser et enfourcha sa moto.)

– Appelle-moi un de ces jours si tu peux.

– J'essaierai. (Il embraya.) Mais cette semaine, y a l'opération survie, alors je ne peux rien te promettre.

– Qui a parlé de promesse? dit-elle en souriant.

– Eh bien, merci encore pour ce repas.

– A ton service, mon agneau.

– Et n'oublie pas de remercier ta mère pour moi!

– Je n'oublierai pas. (Elle s'efforçait de chasser l'idée qu'elle ne le reverrait plus.) Zack, j'espère que tu te rends compte que je n'étais pas obligée de te montrer cette photo.

– Je me rends compte, Paula. A bientôt.

Son sourire était presque rassurant. Paula le suivit du regard jusqu'à ce qu'il eût disparu à l'angle de la rue. Bon, c'était fait. Maintenant elle n'avait plus qu'à attendre la suite des événements.

Dans une rue proche de la base, Sid et Lynette étaient perdus dans une étreinte passionnée, sur la banquette de la Falcon, lorsque Zack arriva à leur hauteur. Il frappa le toit du véhicule de la paume de la main.

– Allez, les enfants! Finie la rigolade!

– Merci, mon gros! cria Sid. Sans toi, j'étais bon pour un viol!

Il embrassa Lynette et bondit hors de la voiture.

– Et ce déjeuner, Zack? s'enquit-elle.

– Merveilleux! Y a longtemps que je n'avais pas bouffé comme ça!

– Et papa et maman?

– Très sympathiques.

– Il n'est pas très bavard, lui, hein?

– Non, pas très.

– A bientôt, mon chou, ajouta Sid en montant derrière Zack.

Lorsqu'ils se garèrent près du baraquement, Sid sauta à bas de la moto en poussant son cri de guerre.

– Bon sang, fit Zack. Qu'est-ce qui t'arrive?

– Je suis amoureux, Mayo.

– Hein?

– Pas toi, je parie, espèce de glaçon.

Sid respira profondément, les yeux perdus dans le ciel.

– Je t'le dis, vieux, on a encore battu un nouveau record aujourd'hui. Tu veux savoir combien de fois on l'a fait?

– Surtout pas! répliqua Zack en tournant les talons.

– Mais, bon sang, qu'est-ce que t'as? (Sid le rattrapa et ils gravirent ensemble l'escalier.)

– C'est toi qui vas pas, fit Zack.

– Moi? Je vais très bien.

– Tu déconnes et tu t'en mordras les doigts, Sid.

– Qu'est-ce que tu racontes?

– Que c'est le moment de laisser tomber.

Zack entra dans leur chambre, balança sa casquette sur le lit et se mit à déboutonner son uniforme.

– Tu plaisantes?

– Tu te souviens de ce que Foley a raconté le premier jour? Son petit avertissement?

– Bien sûr, mais...

– Eh bien, Paula et Lynette... c'est de filles comme elles qu'il parlait. Elles vont faire tout leur possible pour qu'on les épouse.

– Je ne le crois pas, affirma Sid en secouant la tête.

– Alors, c'est que t'es un crétin ou que t'es bouché.

– Elles prennent du bon temps, c'est tout. Comme nous.

Sid s'assit sur son lit et examina ses mains.

– C'est ce qu'elles veulent te faire croire. Mais moi, j'ai vu où elle habite, mon vieux.

– Et après?

– Et après, j'ai compris pourquoi elle voulait foutre le camp de chez elle.

– La belle affaire!

– Parfaitement! (Zack cracha par terre et agita un doigt sous le nez de son ami.) Crois-moi, mec. Laisse tomber tout de suite.

Sid secoua la tête.

– Cette semaine.

Zack le regarda avec dureté jusqu'à ce qu'il détourne les yeux.

9

La pluie tombait si dru que Zack avait l'impression d'être aux Philippines au moment de la mousson. Il se demanda si Foley l'avait commandée aux cieux afin de corser l'opération survie.

– Allez, Della Serra, dit-il, donne-moi cette sacrée bâche!

L'aspirant la lui tendit, et il l'attacha avec celle qu'il avait déjà fixée à un arbre.

– C'est pas mal comme ça, approuva Perryman.

– Voilà! (Casey relia la sienne et celle de Sid avec les deux autres afin de leur procurer un abri à peu près potable, à tous les cinq.)

– « Summertime », chanta Sid. La vie est belle.

Zack regarda sa montre. Il était 1 heure du matin. Un éclair zébra le ciel d'encre. Puis le tonnerre roula longuement dans le lointain.

– Qui sait quels démons sont tapis dans le cœur de l'homme? déclara Sid.

– En tout cas, ceux de Foley sont de sacrés bâtards, lança Perryman.

– Arrête, mon pote, répliqua Zack. Tu lui seras reconnaissant de t'avoir imposé cette expérience quand ton avion te lâchera en pleine jungle du Salvador.

– Ça, c'est vrai, appuya Sid, surtout avec des serpents de deux mètres qui te partiront au cul.

– Ferme-la! cria Della Serra.

– Il n'y a pas de serpents par ici, hein? demanda Perryman.

– Vérifie dans ton manuel, mon vieux, dit Zack en pouffant de rire.

– Je ne sais pas ce qu'il en est de vous, les gars, mais moi je meurs de faim, intervint Casey.

– Ah! le sexe faible. (Zack promena la lueur de sa lampe dans la boue, tendit la main et attrapa un gros insecte noir.) Tiens, See-gare, dit-il en le lui offrant; on va voir si tu as des couilles.

Elle observa l'horrible bestiole avec un air profondément dégoûté.

– Allez, See-gare, insista Sid.

– Tu dois y arriver, Casey, dit Della Serra en lui donnant une petite tape dans le dos.

– Ça te donnera assez de force pour passer le mur du parcours, ajouta Zack en faisant pendouiller l'insecte sous son nez.

– Vous êtes sûrs que cette famille est sur la liste?

– Bien sûr, Casey, dit Perryman. Allez, tu n'aurais aucune excuse.

– Et toi? demanda-t-elle.

– Moi, je n'ai pas faim, affirma Perryman.

– Ha!

Elle saisit l'insecte du bout des doigts et se le fourra dans la bouche.

– Et un bravo pour la petite dame, dit Zack en applaudissant.

Les trois autres se joignirent à lui. Casey avala d'un seul coup et rougit de fierté. Puis elle en attrapa un autre qui courait sur la bâche et le tendit à Zack.

— Maintenant, on va voir qui c'est qui a des couilles.

Zack regarda ses compagnons les uns après les autres en hochant la tête.

— Pas la peine d'essayer de m'attendrir, dit Della Serra.

— A ton tour, ballot, affirma Sid avec un gros rire.

— Seeger, soupira Zack, parfois tu es impitoyable.

— Vas-y, Mayo, mange-le, ordonna-t-elle.

— Oui, monsieur! (Il mit l'insecte dans sa bouche et le mâcha.)

— Dis donc, mec, dit Perryman, t'es rouge comme une tomate.

— C'est difficile de rouler mère nature, avoua Zack après avoir bu une longue gorgée à sa gourde.

— Ouais, c'est une salope, dit Perryman en montrant le toit qui commençait à lâcher.

— Hé, dit Zack, si on ne se noie pas cette nuit, je paye une tournée de bière au T.J.'s, vendredi soir.

— J'y serai, fit Casey.

— Au cas où tes petits gommeux ignoreraient où est le T.J.'s, sache que c'est là où se retrouvent les pilotes.

— Et ta deb, comment va-t-elle, Mayo? s'enquit Perryman.

— Une deb est une deb et rien qu'une deb, affirma Zack. Tu viendras, Sid?

— Qui sait? Il peut se passer bien des choses entre aujourd'hui et vendredi, répondit-il en haussant les épaules.

Le toit s'effondra d'un seul coup, et ils se retrouvèrent tous trempés de la tête aux pieds.

Zack savait fort bien se servir d'une carte et d'une boussole, et grâce à lui, son équipe fut la première à

sortir de la forêt. Aussi, c'est le cœur particulièrement
léger qu'il quitta la base avec Sid cet après-midi-là. Ils
devaient dîner tôt avec les parents de ce dernier au
Holiday Inn, puis passer la soirée au T.J.'s. Il se
sentait soulagé de n'avoir plus à se préoccuper de
Paula, mais en même temps il ne pouvait s'empêcher
de se demander ce qu'elle allait faire de sa soirée. Bof!
Ça ne durerait que quelques semaines, et après il serait
loin.

– Mayo!

Il se retourna. Sur le seuil du poste de commandement se tenait un officier. Il craignit un moment qu'on
ne le mette de garde et qu'on fiche son week-end en
l'air.

– Téléphone pour toi, Mayo : une fille nommée
Paula.

Zack lança un coup d'œil à Sid, puis regarda ses
pieds et enfin l'officier à nouveau.

– Auriez-vous l'obligeance de lui dire que je suis
déjà parti, monsieur?

– D'accord, Mayo.

– Merci, monsieur! dit Zack en effectuant un salut
impeccable.

Il prit Sid par les épaules et l'entraîna vers sa
moto.

De son poste, sur la chaîne, Lynette observait Paula
dans la cabine téléphonique. Bunny Miles, une femme
de trente ans, déjà fanée, s'approcha d'elle.

– Paula et toi, vous continuez à tourner autour des
aspirants de la base?

– Pourquoi pas? demanda Lynette avec un sourire
de mépris.

– On est vendredi après-midi et je ne t'ai pas encore
entendue parler de tes projets pour ce week-end.

– Ne t'inquiète pas pour moi!

– Et Paula? (Bunny indiqua le téléphone du menton.)

– Pourquoi ne pas le lui demander toi-même?

– Ils sont tous les mêmes, tu sais, affirma Bunny avec un soupir méprisant.

– Non, ils ne sont pas tous les mêmes.

Lynette l'espérait bien, sinon elle finirait exactement comme cette Bunny.

– En général, ça arrive juste après leur opération survie. Ils commencent alors à se rendre compte qu'ils n'ont plus besoin de nous. Ils n'ont plus que deux semaines à faire. Ça passe vite.

– Bunny!

– Soudain, ils ne téléphonent plus. Ces salauds pensent qu'ils ont tous les droits.

– Tu es d'une compagnie vraiment agréable, ma vieille!

– J'ai mes raisons, gamine. (Bunny arrangea son chemisier avec un geste suffisant.) Tu sais ce qu'ils disent de nous, n'est-ce pas?

– Ne me le dis pas!

Bunny promena son regard sur la chaîne grinçante et les femmes affairées.

– « Les anciennes debs ne meurent jamais. Elles vont simplement travailler à la fabrique. »

Paula avait raccroché le combiné et se dirigeait vers elles, l'air triste.

Bunny lui tapota le dos.

– Il ne t'a pas appelée, ma chérie. Il ne t'a pas donné rendez-vous, hein?

– Bunny, ferme-la! Ça suffit.

– On m'a répondu qu'il n'était pas là, expliqua Paula.

– Merde, dit Bunny. Je voudrais qu'ils se cassent tous la gueule avec leurs putains de zincs.

Paula sentit que les larmes lui montaient aux yeux et elle s'enfuit vers la sortie de l'atelier.

– Paula! cria Lynette. Qu'est-ce que tu fais? Reviens!

La seule chose dont elle était vraiment certaine,

c'était que ces gars-là ne valaient pas la peine que l'on perdît son job pour eux.

De son poste, Esther Pokrifki vit sortir sa fille; abandonnant sa place, elle la rattrapa sur le parking et la retint par le bras.

– Attends-moi!

Paula regarda sa mère. Bien qu'elle n'eût pas quarante ans, elle lui parut terriblement vieille. Ensuite, elle parcourut du regard les voitures rangées sur le parking, s'attarda sur la cheminée de l'usine qui lançait dans les cieux une fumée jaunâtre.

– Où vas-tu? demanda Esther.

– S'il te plaît, maman, je ne peux pas retourner là-dedans. Laisse-moi tranquille!

Esther agrippa le poignet de sa fille.

– Tu vas à la base pour chercher Zack, hein?

Elle ne répondit rien.

– Je t'en prie, Paula, n'y va pas.

– C'est que je l'aime vraiment, maman, expliqua-t-elle et, appuyant son visage sur l'épaule de sa mère, elle se mit à pleurer doucement.

– Je le sais bien, mais...

– Je ne peux pas le perdre comme ça!

– Paula!

– Je ne l'aime pas parce qu'il va devenir pilote, maman. Je l'aime pour lui-même. Je me fiche de ce qu'il est.

– Mais comment vas-tu le retenir? S'il a envie de filer, poursuivit Esther en haussant le ton, ça n'est pas toi qui vas l'en empêcher.

– Je n'en sais rien, avoua Paula. Mais il faut que je le retienne, peu importe comment. Il suffira peut-être qu'il me voie...

– Non! cria Esther qui s'énervait soudain. Je t'en prie, ma chérie; je ne peux pas te laisser faire ça!

Elle serra si fort le bras de sa fille que cela lui fit mal.

– Maman! lâche-moi, s'il te plaît.

– N'y va pas, mon bébé.

Paula se dégagea.

– Je t'en prie, n'y va pas.

Esther poussa un grand soupir, puis laissa tomber sa tête sur sa poitrine. A présent, c'était Paula qui la réconfortait.

– Pourquoi pleures-tu comme ça, maman?

– Parce que je sais ce que tu ressens, Paula. Crois-moi, laisse-le. C'est ce qu'il y a de mieux à faire.

– Tu crois vraiment?

– Ne lui joue pas de tour, n'essaye pas de le coincer.

– Mais je n'irais jamais faire une chose pareille. Jamais, tu m'entends!

– Mais si, tu le feras.

Les deux femmes se dévisagèrent, et soudain Paula fit volte-face. Sa mère lui reprit le bras.

– Ecoute-moi, Paula. Si tu vas là-bas ce soir et que tu le retrouves... (Elle se mordit la lèvre.)

– Vas-y, dis-le, maman.

– Tu vas lui raconter n'importe quoi pour qu'il reste avec toi, chérie. C'est sûr. Et alors, après, que Dieu te vienne en aide!

– Ce n'est pas de moi que tu parles, maman. (Paula se dégagea lentement.) C'est de quelqu'un d'autre. Je le sais, et je sais ce que *moi* je ferai. A plus tard, maman!

Elle lui fit un petit signe de la main, puis s'éloigna en courant.

Quand ils arrivèrent au *Holiday Inn*, les parents de Sid n'étaient pas encore là. Zack et son ami s'installèrent au bar et commandèrent des bières. Pas un mot ne fut dit sur les filles. Zack n'avait aucune envie d'entendre Sid chanter les louanges de Lynette et, surtout, il ne voulait pas qu'il lui demande de revoir Paula. Il avait déjà bien assez peur de craquer et de foncer au téléphone. Mais pas question! La conversation roulait donc sur le programme, l'avenir et ils évoquaient déjà le plaisir de suivre les cours de l'école de pilotage.

La dernière difficulté qui les attendait pour l'heure, c'était la chambre de décompression. Mais l'épreuve était réputée être plus désagréable qu'insurmontable. En dehors de ça, il y avait l'examen final d'aérodynamique – qui n'inquiétait guère Zack – et le parcours du combattant, éliminatoire – qui ne l'inquiétait pas du tout.

– Alors vieux, dit Sid, qu'est-ce que tu vas faire en partant d'ici?

Ils avaient une vingtaine de jours pour rallier Pensacola.

– J'en sais fichtre rien. (Zack n'y avait même jamais pensé.) Et toi?

– Je vais passer à la maison. J'ai deux ou trois trucs à régler. Tu devrais venir avec moi, tiens, histoire de se marrer un coup.

– Pourquoi pas, dit Zack après avoir vidé sa bière.

– Ecoute, il faut que tu viennes. (Sid s'emballait soudain.) Sérieusement! Tu auras une chambre pour toi tout seul et tout et tout.

– Ça serait chouette! (Il se sentait vraiment touché.) Et en plus, c'est sur le chemin de la Floride.

– Avec ta Triumph, tu seras là-bas en trois jours.

– Même pas, même pas.

– Allez, tope là! (Sid lui donna une bourrade.) On n'en parle plus, ça marche comme ça.

– Nom d'un chien, tu sais que ce sera la première fois que je mettrai le pied en Oklahoma.

– Tu ne le regretteras pas.

Bien qu'ils eussent le doux accent traînant de l'Oklahoma, les parents de Sid étaient sûrement les gens les plus guindés que Zack eût jamais rencontrés. On eût dit qu'ils avaient avalé un manche à balai. La rigidité morale de Tom et Betty Worley transparaissait même dans leur façon de se servir en sel. Zack se demanda comment Sid pouvait être aussi décontracté avec de tels parents. Peut-être, après la disparition de l'aîné, avaient-ils été moins stricts avec lui; c'était la seule explication possible. Zack fut invité et les entrées lui parurent si raffinées qu'il dut se faire violence pour ne pas terminer son repas tout entier avant que les Worley aient terminé leurs quatre feuilles de salade. Une fois promu, il lui faudrait prendre des cours de maintien, se dit-il, ou au moins lire un livre sur les bonnes manières.

Sid était en train de parler de Casey Seeger à ses parents et leur expliquait les problèmes qu'elle avait avec le parcours du combattant.

— C'est vraiment dommage, dit Tom Worley, mais ce parcours a toujours été très difficile.

— Zack est seulement à un dixième de seconde du record absolu, révéla Sid en pointant le doigt vers son ami. Il le battra sûrement avant la fin de la session.

— C'est merveilleux, Zack, s'exclama Mme Worley en lui adressant un sourire qui découvrit des dents d'une blancheur éclatante. (Ce dernier haussa les épaules d'un air de dire que ce n'était pas grand-chose.)

— Si je suis encore ici, c'est grâce à votre fils, vous savez, madame Worley. C'est grâce à lui que je m'en suis tiré aux examens.

Tom Worley se tapota les lèvres avec sa serviette.

— Vous savez que vous avez de la chance de suivre ce programme maintenant, leur confia-t-il. A mon époque, le Dilbert Dunker était lâché de deux fois plus haut. Et qui plus est, le bassin était à l'extérieur.

— Brrr! fit Sid.

— C'est très intéressant, dit Zack après avoir avalé une bouchée.

— Par-dessus le marché, il était interdit de démissionner. Ceux qui échouaient au cours de la session étaient envoyés comme mousses dans la marine.

Et ils finissaient dans un hôtel de passe aux Philippines, pensa Zack. Il pria pour que Tom ne se lance pas dans des histoires de guerre.

– Sid, demanda soudain son père, comment se fait-il qu'en plus de trois semaines, tu n'aies pas écrit une seule fois à Suzan?

Sid arrêta sa fourchette à quelques centimètres de sa bouche, lança un coup d'œil à Zack, puis regarda son père en prenant un air coupable.

– C'est que nous n'avons guère de temps, tu sais, papa. (Il enfourna une bouchée de nourriture, mâcha et avala avant d'ajouter :) Cela fait deux semaines que je ne vous ai pas écrit non plus.

Betty Worley posa une main sur le bras de Zack.

– Zack, est-ce que mon fils fréquente une fille d'ici?

– Non, madame, répondit-il en secouant énergiquement la tête.

– Je les connais, les filles d'ici, affirma Tom Worley.

Sûrement pas très bien, se dit Zack. Il planta un regard franc dans les yeux de M. Worley et lança froidement :

– La seule jeune fille dont il parle tout le temps, c'est Suzan, monsieur.

– Je tiens absolument à te remercier de m'avoir couvert, dit Sid, tandis qu'ils se dirigeaient vers le *Trader Jon's,* le légendaire T.J.'s.

– Pas de quoi, mon agneau.

– Si, si, tu m'as sauvé la mise.

– Juste une question!

– Vas-y!

– Qui diable est cette Suzan?

– Je ne t'ai jamais parlé d'elle? vraiment? demanda Sid en le considérant d'un air soupçonneux.

– La seule chose dont je t'aie toujours entendu causer, c'est des lolos de Lynette, comme tu dis.

– Il faut avouer que c'est quelque chose.

– Ouais, et cette Suzan alors?

– Ma petite amie de là-bas. Normalement, je l'épouserai quand j'aurai mes ailes.

– Oh! souffla Zack. Mais sinon, elle n'a rien de spécial?

– C'était la fiancée de Tommy. S'il n'était pas mort, c'est lui qu'elle aurait épousé.

– C'est dur cette histoire.

– Ouais, avoua Sid en baissant la tête. Je pensais que je t'en avais parlé. Je me demande pourquoi je ne l'ai pas fait.

– Chacun a son petit jardin secret.

– Ce n'est pas ça. C'est sûrement plutôt parce que j'avais peur que tu me prennes pour un salaud, à cause de Lynette.

– Hé! je ne suis pas ton père, dit Zack en éclatant de rire. Mais cette Suzan, continua-t-il après avoir repris son sérieux, tu l'aimes?

– C'est la personne la plus douce que je connaisse. Elle adore les enfants. Elle s'occupe de gosses handicapés tous les après-midi à la paroisse. Tout le monde l'aime beaucoup.

– Je ne te demande pas tout ça, mon agneau. Je te demande si toi, tu l'aimes.

Ils étaient arrivés devant le T.J.'s et Casey qui y entrait les salua d'un geste de la main.

– Je pense que je ne vais pas aller à cette party, Zack, déclara brusquement Sid.

– Non?

– J'ai rendez-vous avec Lynette au motel, ajouta-t-il en souriant.

– Tu n'arrives pas à la larguer, hein?

– Elle a les plus beaux nénés des cinquante-deux Etats, mon gros. Comment veux-tu que je résiste après trois jours d'opération survie?

Zack décida de ne pas l'asticoter avec Suzan, mais il était persuadé que son ami se fourvoyait à propos de Lynette.

– Tu aurais mieux fait de m'imiter, tu sais. Une rupture claire et nette.

– Elle m'a dit que Paula était complètement retournée que tu ne l'aies pas appelée.

Soudain Zack se sentit mal; une vague de désir pour Paula le submergea. Il fixa un moment la pointe de ses souliers en marmonnant, puis releva la tête avec un grand sourire.

– Ce ne sont pas des femmes pour toi, mon vieux. Pour se marier, elles te diront tu sais quoi, et ça sera mensonge et compagnie.

– T'es vraiment dur, toi.

– Attention, T.J.'s! chantonna Zack. Je suis d'humeur à rigoler! (Il serra la main de Sid.) Amuse-toi bien, toi aussi.

– Pas de problème. Et toi, tâche de ne pas trop boire.

– N'y compte pas!

Zack grimpa les marches du bar et pénétra dans la salle.

A peine était-il assis avec Perryman, Della Serra et Seeger que cette dernière remplit un bock de bière et le lui tendit.

– Enfile-toi ça, Mayo, tu l'as bien mérité.

– A l'opération survie!

Zack leva son verre et moins de cinq secondes plus tard, il le reposa vide devant lui.

– Tu as encore le goût de ce scarabée dans la bouche? demanda Casey.

– C'est le meilleur insecte que j'aie jamais mangé. Et c'est grâce à toi, Seeger.

Il l'admirait sincèrement. A quelques jours de passer l'épreuve définitive du parcours du combattant et bien qu'elle n'arrivât toujours pas à franchir le mur, Casey avait l'air complètement décontractée.

– Bois-en une autre, Zack.

Della Serra saisit le pichet de bière et emplit son verre.

– Bien obligé. (Il en avait englouti la moitié lorsqu'il entendit dans son dos un rire qu'il aurait reconnu entre mille. Il se retourna. Paula était assise un peu plus loin avec l'instructeur de vol qui avait essayé de danser avec elle le premier jour.) Salope! murmura-t-il, et il refit face à ses compagnons.

– C'est bien ta deb, Mayo? lui demanda Casey.

Il haussa les épaules et termina sa chope.

– Cet instructeur est un chaud lapin, lança Della Serra.

Eh bien, elle n'a pas perdu son temps, songea Zack. Tout d'abord, il se sentit moins coupable, puis il se rendit compte qu'il était jaloux. Il se versa une nouvelle bière qu'il descendit cul sec en se demandant ce qu'il aurait dû vraiment éprouver. Peut-être simplement du soulagement à l'idée qu'il allait bientôt fuir ce foutu coin.

– Sid n'est pas arrivé à lâcher la sienne, hein? demanda Perryman.

– La chair est faible, énonça Zack. Chez moi, c'est plutôt l'esprit qui domine. Vous avez tous dû le remarquer, affirma-t-il en se resservant à boire.

– Je m'en suis aperçu à la seconde où je t'ai vu, ricana Perryman.

– C'est pour ça qu'il ne m'a jamais draguée, dit Casey.

– Je te laissais à Foley, Seeger.

Ils éclatèrent tous de rire. Zack lança un coup d'œil par-dessus son épaule. Paula était seule près du juke-box; elle choisissait des disques. Il se leva et traversa la salle pour la rejoindre. Quand elle le vit, un air de surprise non feint se peignit sur son visage.

– Salut! dit-il.

– Zack! Qu'est-ce que tu fiches ici?

– Je bois un coup avec les copains. On a fait

l'opération survie tous ensemble. (Il indiqua la tablée du pouce.) Et avec Sid.

– Oh!

– De plus, je voulais voir le légendaire T.J.'s avant mon départ.

– Qui est pour bientôt, hein! glissa Paula.

– Tu viens souvent, toi?

– De temps en temps.

Son ton était plutôt froid. Le regard de Zack alla se poser sur l'instructeur de vol, puis revint à Paula.

– Je sais que j'aurais dû te téléphoner, mais tu ne peux pas imaginer la semaine que nous avons eue.

– Ce n'est pas grave. (Elle avait dit cela sans hostilité apparente.) Ça s'est passé comment, cette opération survie?

– Pas mal. Nous avons survécu!

– Ça m'en a tout l'air.

– Et pour toi? Ça a été ces jours-ci?

– Comme d'habitude. Au début du mois, je serai augmentée de quinze *cents*.

– C'est chouette. (Il se força à lui sourire.)

– Eh bien, dit-elle après un silence, plus que deux semaines et tu auras réussi ton examen.

– Oui, je commence à croire vraiment que je vais l'avoir.

– Tu vois, je te l'avais dit. Il suffit de se convaincre soi-même et on y arrive.

– Ouais! (Il se souvint de la douceur de ses épaules la première fois qu'ils avaient dansé ensemble.) Je me le rappelle.

Un instant, il lutta contre le désir de l'embrasser. Il la dévorait des yeux et, au bout de quelques secondes, elle détourna la tête.

– Bon, dit-elle. Il vaut mieux que je retourne là-bas.

Elle fit le geste de s'éloigner, mais il lui saisit la main.

– Paula?

– Oui? (Ses yeux étaient d'un vert intense.)

– Je voulais te dire quelque chose...

– Oui, Zack? (Sa voix était parfaitement calme.)

– Je voulais te dire... je voulais simplement te dire merci.

Elle posa sur lui un regard interrogateur. De toute évidence, elle n'avait aucune intention de lui simplifier les choses.

– Je ne sais pas comment j'aurais supporté tout ce cirque sans, heu... tu comprends ce que je veux dire, sans quelque chose pour me changer les idées.

– Tu n'as pas à me remercier, dit-elle d'un ton neutre. C'était très bien pour moi.

– J'en suis heureux, murmura-t-il.

– Bonne chance pour ton école de pilotage. (Elle posa sa main sur son bras et lui donna une petite pression.) J'espère que tu obtiendras les chasseurs.

L'instant d'après, elle avait fait demi-tour et s'éloignait. Il l'observa jusqu'à ce qu'elle ait regagné sa place, puis de peur de se mettre à parler tout seul, il fonça vers le bar. Il commanda une bouteille de tequila et quatre petits verres.

– Hé, les gars, je vais vous apprendre un jeu, déclara-t-il à ses compagnons avec un sourire stupide. Ça vient des Philippines. On l'appelle « à toi, à moi ». Chaque fois que j'en bois un, vous en buvez un.

Il emplit les verres, en posa un devant chacun et avala le sien cul sec.

Les autres le regardèrent sans broncher.

– Allez, les gars, c'est votre tour.

– Hé, dit Perryman, je dois rejoindre ma femme tout à l'heure; j'ai pas envie d'être complètement bourré.

– Oh là là! lança Zack.

Il remplit à nouveau son verre et le descendit d'un trait.

– Zack! intervint gentiment Casey, pourquoi ne te calmes-tu pas un peu?

– Je n'arriverai jamais à avaler ce machin comme ça, déclara Della Serra.

– Oh, merde!

Zack les enveloppa d'un regard dégoûté. Puis il lança un coup d'œil par-dessus son épaule : Paula le regardait. Il se détourna vivement, se versa un nouveau verre qu'il vida aussitôt. Ensuite, il attrapa son portefeuille, en tira une poignée de billets et les étala devant eux.

– Allez, bande de cons! Cinquante sacs que je vous fais tous rouler sous la table!

La dernière chose dont il se souvint le lendemain, ce fut de son départ du T.J.'s. Perryman l'avait tiré tandis que Casey et Della Serra le poussaient pour le hisser dans un taxi. Quand il y avait été installé, il avait lâché un grand rire d'ivrogne en attrapant Casey.

– Allez, viens, See-gare! avait-il crié. On va aller au *Motel Tides Inn* tous les deux.

Il l'avait attirée brusquement sur lui en partant à la renverse et l'avait embrassée sur la bouche.

Elle l'avait repoussé :

– Tu es complètement cuit, Mayo. Mais tu n'as pas envie de moi.

– Mais si! mais si! avait-il hurlé.

– Et à vrai dire, je n'ai pas envie de toi non plus.

– Sans cœur, va!

– A plus tard à la base, avait-elle conclu.

– Je l'accompagne pour le mettre au lit, avait dit Perryman.

Quand le taxi avait démarré, il avait eu une pensée pour Byron : il allait lui téléphoner et partir en virée avec lui. Mais il avait sombré dans un puits noir et ne s'était réveillé que le lendemain vers midi avec une horrible gueule de bois.

10

Sid allait glisser dans le sommeil lorsqu'il sentit Lynette s'étirer à ses côtés. Elle repoussa les draps, sortit sans bruit du lit.

– Hé! fit Sid.

– Quoi?

– Où tu vas?

Elle mit son slip et regarda sa montre.

– Il est 11 h 30. Je dois prendre le ferry.

– Déjà! gémit-il.

– Désolé, chéri.

– Pourquoi tu ne restes pas là-toute la nuit? T'as peur de quoi? Qu'ils suppriment ta pension?

– Ils pourraient me flanquer à la porte, et c'est vraiment pas le moment. Ces derniers temps, ma mère n'arrête pas de gueuler.

Sid la regarda boutonner son corsage.

– A propos, ce n'est pas l'époque de tes règles?

– Sans doute.

– Et alors?

Elle enfila ses jeans.

– Je suis un peu en retard, c'est tout.

Elle haussa les épaules, l'air indifférent. Sid s'assit brusquement dans le lit.

– De combien?

Elle s'assit à côté de lui et se mit à tripoter ses chaussures.

– Qu'est-ce que ça peut faire?

– Beaucoup de choses!

– S'il se passe quoi que ce soit – et je suis sûre qu'il ne se passera rien –, c'est moi la responsable, dit-elle en lui caressant la joue.

– Tu es en retard de combien de jours exactement, Lynette?

Il s'efforçait de dominer la peur qui s'emparait de lui.

– Mais de quoi tu t'occupes? (Elle se leva en lui adressant un sourire coquet.)

– Comment peux-tu dire ça?

– Bon! Suppose que je sois enceinte. Suppose-le!

– Eh ben? (C'était une perspective qu'il n'arrivait pas à envisager froidement.)

– Tu ne crois quand même pas que je vais essayer de t'imposer quelque chose dont tu n'as pas du tout envie?

– Arrête, Lynette, tu n'y es pas!

– Hein? (Elle le regarda, l'air incrédule.)

– Ce à quoi tu as fait allusion n'est pas la seule issue. Il y en a beaucoup d'autres.

Elle secoua la tête comme si elle ne comprenait rien du tout.

– Je suis responsable, moi aussi! (Il se glissa au bord du lit et mit son slip. Tout nu, il se sentait ridicule pour parler d'un tel sujet.) Responsable en tant que père.

– Oh, Sid...

– Si c'est moi qui t'ai mise enceinte, je... heu... veux faire ce qu'il faut.

Il réfléchissait très vite. Que fallait-il faire d'ailleurs? Pas de panique, mec, se dit-il. On trouve toujours une solution.

– Eh bien? (Lynette attendait qu'il poursuive.)

– Je paierai l'avortement. Voilà ce que je voulais dire.

Elle garda le silence.

– Je ne veux pas te laisser tomber. Je t'aiderai...

– Oh! (Elle ramassa son pull sur la chaise et l'enfila.)

– Alors, dis-moi de combien de jours tu es en retard.

– Aucune importance, répondit-elle froidement. On verra bien.

– Mais...

– Et puis, je vais louper le ferry. (Elle revint vers le lit et lui donna un rapide baiser.)

– A demain, fit-il.

Elle ouvrit la porte.

– Et t'en fais pas. On arrangera ça.

– Bien sûr!

Elle referma la porte et s'enfonça dans la nuit.

Il resta planté là à écouter le bruit du ressac, puis celui de la voiture qui démarrait. Bon sang! pensa-t-il. T'es à peine dans le pétrin, couillon. Il regretta un instant de ne pas avoir suivi les conseils de Zack, mais ils étaient si différents l'un de l'autre! Et puis Lynette, il l'aimait! Beaucoup même. Il prenait avec elle bien plus de plaisir qu'avec Suzan. Pauvre Suzan! Si elle savait, que penserait-elle? C'était vraiment trop facile de faire souffrir les autres, ou de se torturer soi-même d'ailleurs. Il se rallongea, un bras sous la tête. Ne serait-ce pas mal de la faire avorter? C'est qu'elle était catholique! Pour elle, ce serait un péché mortel, et elle se sentirait coupable toute sa vie. Non! Un avortement, c'était trop injuste. Mais faut dire qu'il ne se sentait pas du tout prêt à être père, et il était sûr que Lynette n'était pas tellement mûre pour la maternité. Et le gosse, ce ne serait pas la fête pour lui. Plutôt grave tout ça! Quelle que soit la solution, ils étaient tous perdants. Il alluma la T.V. pour penser à autre chose. En vain! Alors il sortit se promener sur la plage pendant une heure, mais lorsqu'il revint dans la chambre, ses idées étaient encore plus embrouillées qu'avant. Il se calma avec quelques bières et finit par s'endormir en pensant que la seule chose à faire était d'attendre la suite des événements. Maigre consolation!

– C'est l'heure, vermine! beugla Foley dans le vestibule. Vous avez cinq minutes pour vous mettre en tenue et vous rassembler. Magnez-vous!

Zack venait à peine de retirer sa tenue de repos lorsque Sid sortit de leur chambre comme une tornade, ses rangers à la main.

– Bordel, qu'est-ce qu'il a? demanda Perryman. On dirait un zombie depuis une semaine.

– Une histoire de femme, fit Zack.

– C'est les pires!

– Enfin, je suppose que c'est une histoire de femme, parce qu'il ne veut rien dire.

– Tu ne crois pas que sa deb...

– Prononce pas ce mot!

– Je comprends.

– Bonne chance pour le parcours!

– Toi aussi, ajouta Perryman. Tu te sens en forme pour battre le record?

– C'est notre dernière chance. (Zack enfila son treillis et fit quelques exercices d'assouplissement.) Ça ira.

– J'espère que tu réussiras, vieux.

– En route!

Ils dévalèrent les escaliers, et Zack aperçut son ami agrippé au téléphone, avec sur son visage l'image même du drame.

– Viens, dit Zack.

Mais Sid continua de parler et d'un geste de la main lui fit signe de s'en aller.

– Enfin, mec!

Zack secoua la tête, puis rejoignit sa formation. Sid arriva juste deux secondes avant que Foley ne fît l'appel et il n'eut même pas le temps de lui demander ce qui se passait. Comme si ce n'était pas évident! Foutue Lynette! Foutues debs avec leurs règles... Tandis qu'ils se dirigeaient vers le terrain du parcours, il essaya d'oublier toutes ces conneries. Il avait pensé à Paula au cours de la semaine et avait même failli l'appeler par deux fois. Et Sid qui ne lâchait plus un mot tant il était crispé! Pas bon, tout ça, pas bon du tout, se dit-il. Surtout si près de l'examen. Oublie tout ça! Il inspira et expira profondément. Ne pense plus qu'au diplôme et tire-toi le plus vite possible!

Sid fut le premier à effectuer le parcours et dès qu'il eut commencé, Zack cessa de se préoccuper de lui pour concentrer toute son énergie sur l'épreuve qui l'attendait. Son taux d'adrénaline ne cessait de grimper. Après Della Serra, ce fut le tour de Casey; elle s'avança sur la ligne de départ. Zack observa Foley : il savait que le sergent voulait qu'elle franchisse l'obstacle du mur, mais bien sûr, il ne pouvait pas le montrer.

— Allez, See-gare, bats-les! l'encouragea Zack. (Elle se retourna et lui adressa un signe nerveux du pouce.)

Dès que Della Serra eut franchi les cylindres, Foley lança un regard glacial à Casey.

— Prête, Seeger?

— Oui, monsieur, répondit-elle sans même tourner la tête.

— Partez! aboya Foley.

Elle détala comme un lapin.

Puis Perryman démarra, et Zack se plaça en position de départ. Il ferma les yeux, inspira profondément, relaxa les bras.

— Je suis heureux de t'avoir donné un petit entraînement supplémentaire pour cette épreuve, Mayo, fit le sergent.

— Bien, monsieur.

— C'est uniquement grâce à ça que tu peux réussir.

— Bien, monsieur.

Zack sourit d'une oreille à l'autre en regardant droit devant lui.

— Prêt, Mayo?

— Oui, monsieur.

Foley regarda le parcours, puis Zack.

— Partez!

Il partit comme une bombe. Et tout lui sembla soudain plus simple. Quand il commença à bondir dans les cylindres, il perçut les premiers cris d'encouragement de ses compagnons; ce fut la musique la plus douce qu'il eût jamais entendue. Il franchit main à main l'échelle horizontale, puis la zone de sable en s'efforçant de ne pas glisser. Il sauta les haies en les effleurant à peine de son short, courut encore vingt-cinq mètres et atteignit la portion de boue. Il roula sur le dos et, prenant appui sur ses coudes et ses talons, il rampa sous les barres horizontales. Jamais il n'avait été aussi rapide. Il avait gagné au moins deux ou trois secondes sur son meilleur temps. Il dépassa Perryman qui l'encouragea d'un « Allez, Zack! », escalada le talus avec l'agilité d'un écureuil, sauta le fossé sans se mouiller les pieds, puis fonça vers le mur.

Lorsqu'il leva la tête, il aperçut Casey qui se débattait avec la corde. « Tiens bon, Seeger », hurla-t-il. Puis il sauta, empoigna la seconde corde et, à son tour, se mit à grimper. « Suis-moi », lui lança-t-il lorsqu'il passa à sa hauteur. Arrivé au sommet du mur, il pivota. Il allait sauter de l'autre côté lorsqu'il la vit retomber. Alors quelque chose se déclencha en lui. Du haut de son perchoir, il observa le terrain, aperçut Foley au loin qui les surveillait, ses compagnons lancés à corps perdu dans leurs exercices, et soudain une foule de sentiments inconnus l'assaillit. « Au diable, tout ça », murmura-t-il. Il repivota et se laissa tomber à côté de Seeger.

— Continue, Zack! souffla-t-elle, les larmes aux yeux. Pense au record!

— M'en fous du record!

— Mais...

— Ecoute-moi bien maintenant et fais exactement ce que je te dis. (Elle opina d'un air désespéré. Il traça dans la boue une ligne avec son pied.) Tu recules de dix mètres et tu démarres de là. Pas là ou là, ajouta-t-il, ici.

— Je ne...

— N'ergote pas, Seeger! Tu vas aller planter tes

pattes là-bas et après tu vas hisser ton joli petit corps sur ce mur. Parce que tu dois le faire! Tu veux piloter des chasseurs, pas vrai?

Elle acquiesça.

– Alors, fais-le, bon sang de bon sang!

– Oui, monsieur! cria-t-elle sans la moindre trace d'humour.

Ils partirent en même temps, agrippèrent les cordes et commencèrent la lente ascension. Par deux fois, elle gémit et par deux fois, Zack hurla « Continue! ». Il arriva au sommet juste avant elle. Il s'assit alors et regarda son visage : il était rouge pivoine, elle semblait sur le point de tout laisser tomber. « Encore! » murmura-t-il durement.

Elle inspira, avança la main droite devant la gauche et se hissa, exténuée, jusqu'en haut. Elle lui lança un sourire épuisé, puis ils pivotèrent de conserve et se retrouvèrent sur le sable de l'autre côté. Elle faillit même le battre sur les cinquante derniers mètres.

Lorsqu'ils franchirent la ligne d'arrivée, il lui posa une main sur les fesses.

– Avec un cul comme ça, tu ne pouvais pas échouer, ma vieille.

Elle attendit quelques secondes avant de repousser sa main. Puis elle se retourna vers lui et le prit dans ses bras.

– Merci, Mayo-naise!

– Toujours heureux d'aider le sexe faible!

Il se dégagea avant qu'elle n'ait pu le frapper. Il riait encore lorsqu'il vit Sid couché sur le flanc, le regard perdu.

– Bon Dieu! murmura-t-il. Hé, Sid!

Le grand Okie se retourna vers lui sans rien dire.

Zack prit Casey par la taille :

– Devine un peu qui vient de réussir le parcours du combattant?

Sid la regarda, un vague sourire aux lèvres.

– Fantastique! dit-il sans grand enthousiasme. Je

regrette d'avoir raté ça. Tu as battu le record, Zack?

– Non!

– Dommage!

Puis il leur tourna le dos et se mit à contempler l'horizon.

Zack caressa l'épaule de Casey et d'un mouvement de tête désigna Sid :

– Il faudra que je touche deux mots à ce gars-là!

Mais il ne trouva l'occasion de lui parler qu'à la fin de la journée. Bien que Foley eût l'air assez satisfait des résultats de leur section – il félicita même Casey du bout des lèvres – il les occupa tout l'après-midi avec des exercices de tir, une heure d'instruction d'arts martiaux, puis une leçon préparatoire pour la chambre de décompression. Il leur laissa cinq minutes de liberté avant le repas, mais chaque fois que Zack demandait à Sid ce qui n'allait pas, il obtenait la même réponse : « Rien, mon vieux, rien! »

Lorsque Perryman s'en alla, Zack se tourna vers son pote :

– Enfin, mon gros, qu'est-ce qui t'emmerde? (Sid le regarda, l'air absent.) Bon sang! t'es resté toute la journée la tête dans les nuages. Tu n'es plus le Sid que j'ai connu. Qu'est-ce que tu as?

Son ami resta un instant sans rien dire, puis il ouvrit les mains en signe de désespoir :

– Elle est enceinte, mon vieux!

– Elle...

– Surtout ne me dis pas que tu m'avais prévenu!

– Non, non!

– Merci!

– Tu en es sûr?

– Ouais! (Sid se prit la tête dans les mains.)

– Et alors, où est le problème?

– Je crois que je vais l'épouser.

– L'épouser?

152

– Tu m'as bien compris. (Sid se força à sourire.) Elle me plaît bien. Je crois même que je l'aime.

Voilà la meilleure, se dit Zack. L'heure du dîner sonna, et tandis qu'ils descendaient les escaliers, il lui suggéra l'éventualité d'un avortement.

– Elle ne veut pas entendre parler de ça, répondit Sid.

– C'est pas vrai! la garce! murmura-t-il.

Sid n'ajouta rien et ils restèrent silencieux jusqu'au réfectoire.

– Tu comprends, expliqua-t-il, c'est une question de religion. Elle ne veut même pas qu'on en discute.

– Mais naturellement elle veut bien t'épouser!

– Elle dit que c'est à moi de décider. Si je refuse, elle s'en ira et se débrouillera toute seule avec le bébé.

Zack remarqua que deux aspirants tendaient l'oreille.

– J'suis plutôt mal barré, si tu vois...

– Je vois, je vois!

– Qu'est-ce que je peux faire, d'après toi?

– Si elle tient tant que ça à le garder, laisse-la aller le pondre dans un coin. Les femmes ont l'habitude de faire ça. Ce n'est pas si grave.

– Je ne peux pas... je ne peux pas m'en laver les mains.

– Et pourquoi pas, enfin! (Si cette salope était là, je lui flanquerais mon poing dans la gueule, pensa Zack.)

– Si c'est mon gosse, je suis responsable, pas vrai?

– Allons, allons, mon pote! Pas si elle ne veut même pas entendre parler d'un avortement.

– Tu ne comprends pas!

– Comprendre quoi? T'es en train de faire le con, voilà ce que je comprends.

– Mais ça sera quand même mon gosse!

Zack lui jeta un regard glacial :

– Comment peux-tu en être sûr?

Sid le dévisagea un instant :

– C'est le mien!

Zack pensa inventer un bobard quelconque, par exemple que Paula lui avait raconté que Lynette couchait avec d'autres types, mais il n'en eut pas le courage.

– O.K., fit-il. Mais si Foley avait raison? Si elle n'avait fait ça que pour te mettre le grappin dessus?

– Qu'est-ce que ça changerait?

– Tu serais encore responsable?

– Je crois que ça n'a aucune espèce d'importance. Si elle garde le gosse, ça veut dire que sur terre, y aura un môme dont je serai le père. Et je ne pourrai pas vivre avec cette idée.

– Bon Dieu, Sid! Est-ce que tu serais le seul responsable?

Sid lui lança un coup d'œil froid alors qu'ils s'asseyaient. Mais Zack ne pouvait pas laisser tomber la discussion.

– Regarde donc un peu ta vie, mon vieux! Ton frère se fait tuer, et toi, tu te crois obligé d'épouser sa fiancée.

Sid se servit quelques feuilles de salade.

– Et qu'est-ce qui te pousse à faire tout ça? ajouta-t-il, méprisant. L'espèce de code moral à la con que tu as hérité de ta famille.

– Peut-être que pour toi, tout est de la merde! hurla Sid, en flanquant un coup de poing sur la table. Mais ce n'est pas comme ça que j'ai été élevé. Moi, je crois que nous sommes responsables envers les autres, que c'est la seule chose qui nous différencie des animaux!

– Oh!

On les regardait.

– J'suis pas comme toi, Mayo, poursuivit Sid. Je ne peux pas chier sur les autres et ensuite roupiller toute la nuit comme un loir.

Zack qui jouait avec sa côtelette de porc releva la tête vers lui.

154

– Tu es avant tout responsable de toi-même, mec.

– J'ai bien compris que c'était ce que tu pensais.

– Et... si tu ne peux pas accepter ce fait-là, t'auras dans la vie des problèmes un peu plus compliqués que celui de mettre une fille en cloque.

Ils se toisèrent. Foley s'avança alors vers leur table et la frappa de sa baguette :

– Il me semblait que nous étions ici pour manger, messieurs.

– Oui, monsieur, répondit docilement Sid.

– Tu m'entends, Mayo?

– Oui, monsieur! fit Zack en découpant sa côtelette avec rage.

Ils n'en parlèrent plus. Après le repas, ils retournèrent dans leur chambre : nettoyage rituel du soir, étude de l'aérodynamique. Sid se replia sur lui-même, Zack échangea quelques plaisanteries avec Perryman. Il cherchait ce qu'il pourrait bien raconter à Sid pour le secouer un peu et le pousser à convaincre Lynette de se faire avorter. Il ne trouva rien. Il ne restait plus qu'à lui faire renoncer au mariage. Pas étonnant que le monde soit complètement déboussolé avec des gens pareils! Il en eut la chair de poule, et tandis qu'il se brossait les dents, la déprime lui tomba sur le dos. Il se mit à penser à sa mère, puis à son père, et naturellement à lui-même. Byron avait-il, lui aussi, essayé de persuader sa mère d'avorter? Sa mère avait-elle, elle aussi, essayé de coincer Byron? Il l'imagina planté devant un bar avec un type dans son genre en train de le tanner pour qu'il la laisse tomber. Bref, peu importe comment les choses s'étaient passées, sa mère avait été enceinte, son père l'avait abandonnée, et le môme qui avait poussé tout seul, c'était lui. Et c'était lui aussi qui à présent incitait son ami à en faire autant. Il se sentit soudain furieux.

Sid gémit et Zack se dressa sur un coude pour

l'observer. Il était replié sur lui-même, face contre le mur. Peut-être les choses étaient-elles encore plus complexes qu'il ne se l'imaginait. Peut-être Sid avait-il raison ou du moins, étant donné les circonstances, était-ce ce qu'il y avait de mieux à faire. Ainsi ce gosse ne pousserait pas sans père dans un trou quelconque pour devenir un pauvre gars en mal d'identité. Salaud de Byron, se dit-il. Combien étaient-ils entre Hong-Kong et San Diego à ignorer jusqu'à son nom ? Après tout, ce n'était pas si mal que ça d'avoir un tel sens des responsabilités ; même s'il fichait sa vie en l'air à cause de cette salope. En tout cas, il ne lui en parlerait plus le premier. Il se contenterait de lui faire comprendre qu'il était son ami, et prêt à l'aider.

La chambre de décompression n'était pas beaucoup plus grande qu'un compartiment de train. Sid et Zack étaient assis de part et d'autre d'une table minuscule, Perryman et Seeger à une autre, Della Serra et Warde à une troisième. Ils portaient tous un masque à oxygène et se tapaient dans la paume des mains tandis que Foley et un instructeur les observaient à travers une vitre épaisse. C'est le comble ! se dit Zack. Finir le programme en faisant joujou comme des gosses à la maternelle.

— O.K., aspirants, fit l'instructeur dans l'intercom. Maintenant, vous allez retirer vos masques et continuer ces petits exercices.

Ils exécutèrent l'ordre.

— Le but poursuivi, expliqua l'instructeur, est de vous montrer les effets de l'altitude sur les capacités motrices sans apport d'oxygène.

Lorsqu'ils perçurent une sorte de sifflement, Zack et Sid échangèrent un sourire. A tour de rôle, chacun frappait les paumes de l'autre et une légère détérioration de leurs réactions était déjà sensible. Surtout pas de panique, se dit Zack. N'essaye pas d'en faire plus que tu ne peux. Il respirait aussi régulièrement que possible, mais il commençait à se sentir la tête vide et un peu idiot.

Au fur et à mesure que le sifflement s'amplifiait, leurs gestes devenaient de plus en plus maladroits. Bientôt, ils ne parvinrent plus à frapper les paumes de l'autre. Zack dut faire plusieurs essais avant d'arriver à taper dans les siennes. Enfin, il y parvint! Il sourit à son ami, prêt à recommencer un tour. Mais Sid en était encore à son propre essai; à chaque fois, il se ratait. Il avait l'air terrorisé.

– Sid!

Celui-ci leva les yeux, mais sembla ne pas le reconnaître; son visage se décomposait à vue d'œil.

– Arrête ce truc! hurla-t-il soudain.

– Détends-toi! Détends-toi!

– Arrête ça, j'ai dit!

Sid regarda autour de lui comme un dément, puis posa ses mains sur la table et y prit appui pour se mettre debout.

– Assieds-toi, vieux! On va y arriver tous les deux. Panique pas, sinon on est cuits.

Sid ne l'écoutait pas. Il zigzaguait comme un ivrogne vers la porte, puis il s'arrêta et jeta à chacun un regard horrifié. Il se boucha les oreilles, fit encore un pas, trébucha.

– Je veux sortir d'ici, hurla-t-il en s'affaissant.

Zack tenta de se lever, mais impossible!

– Sid!

– Laisse-moi sortir! glapit-il. S'il te plaît! (Il roula sur le côté et se mit à pleurer.)

– Ça va, Sid. Ça va!

– Laisse-moi sortir!

– Contrôle ta peur! Essaye! Parle-toi, raisonne-toi, vieux!

Le sifflement cessa; la pression commençait à remonter. Zack parvint enfin à se lever et il alla s'agenouiller à côté de lui.

– Je veux sortir! sanglotait Sid. Je veux sortir d'ici!

Zack le berça dans ses bras.

– Qu'est-ce que tu as eu? demanda-t-il lorsqu'il le sentit un peu plus calme.

– J'en sais rien, Zack, j'en sais fichtrement rien. J'avais l'impression... euh... d'étouffer. (Il se prit la tête dans les mains et se remit à pleurer.) Bon Dieu, je mourais de trouille. Jamais eu aussi peur!

– Tu vas arrêter de chialer maintenant, hein? fit Zack en essuyant les larmes de son ami.

– Peux pas!

– Si! tu peux, dit-il durement. Faut pas que les instructeurs voient ça.

Mais il savait très bien que c'était trop tard. Il jeta un coup d'œil à la ronde : tous regardaient Sid d'un air solennel. Puis la porte s'ouvrit et Foley, le visage sombre, s'avança, l'instructeur sur ses talons.

Zack n'eut pas l'occasion de reparler à Sid, car il disparut toute la fin de l'après-midi, et lorsqu'il fit sa réapparition dans la chambre vers 9 heures, il déclara qu'il voulait qu'on lui fiche la paix. Il cira ses bottes et fit briller la boucle de son ceinturon en silence, puis se glissa dans son lit apparemment pour dormir. Il n'a sans doute pas été renvoyé, se dit Zack, sinon à quoi bon tout ce nettoyage?

Le lendemain matin, Zack dut se réveiller avant les autres pour lever les couleurs. Il se rendit ensuite directement au mess : il y trouva Perryman, mais pas Sid.

– Où est-il?

– J'en sais foutre rien, répondit Perryman en haussant les épaules. J'étais de corvée de chiottes, et il n'était plus dans la chambre quand j'y suis revenu.

– J'espère qu'il va bien.

– Nous savons tous les deux qu'il ne va pas bien.

– Tu comprends parfaitement ce que j'ai voulu dire.

– Je crois que oui, reconnut Perryman.

Zack avala son petit déjeuner en trois bouchées et se précipita vers les baraquements. Il jeta par hasard un coup d'œil vers la salle de garde et s'arrêta net. Foley et Sid en sortaient et ce dernier était vêtu en civil. Son visage était de marbre.

– Vous ne l'avez pas flanqué à la porte? demanda-t-il à Foley.

Ils continuèrent à avancer sans s'occuper de lui.

– Attendez, monsieur! Sid ne vous a-t-il pas expliqué ce qui lui est arrivé?

– Aucune importance! (Foley gardait les yeux fixés droit devant lui.) C'est là tout le but de ce cirque, Mayo!

– Hein?

– Ce qui compte, c'est qu'à vingt-cinq mille pieds, il a craqué. Et ça, ça ne peut pas se reproduire.

– Vous ne comprenez donc pas, insista Zack en cherchant du regard le soutien de son ami. Y a cette fille qu'il a mise enceinte, et elle lui fait perdre la tête, monsieur.

– Il a raison, Zack. Ça n'a aucune importance, fit Sid, le regard dur.

Zack secoua la tête, tendit les mains, l'air confondu.

– Alors, comme ça, c'est terminé. T'arrêtes tout?

Sid acquiesça.

– A moins de deux semaines du but?

– Ça peut encore t'arriver, intervint Foley, glacial, en continuant à s'éloigner d'une démarche de jouet mécanique.

– Reviens ici, espèce d'enculé! hurla Zack, aveuglé soudain par une bouffée de rage.

Foley fit volte-face, les yeux injectés de sang.

– Comment m'as-tu appelé, Mayo? Est-ce que j'ai bien entendu?

– Zack! non! supplia Sid.

– Je croyais que le rôle des sergents instructeurs

était d'aider les aspirants, poursuivit Zack. Mais vous, quelle espèce d'homme êtes-vous donc?

— Arrête de me regarder avec ces yeux, Mayo, sinon t'es viré. (Un instant, Zack s'étonna que ça ne soit pas déjà fait.)

— S'il te plaît, Zack! hurla Sid. Laisse tomber!

— J'pige pas, continua-t-il sans même regarder son ami. C'est le meilleur aspirant de notre section. Vous pouvez demander à n'importe qui. Le meilleur élève, le plus studieux, il est copain avec tout le monde... Est-ce que ça ne compte pas, ça? Est-ce que vous ne pourriez pas glisser un peu sur vos foutus règlements et chercher à comprendre de temps en temps?

Foley tendit un doigt vers lui et ouvrit la bouche, mais Sid le devança.

— Ce n'est pas lui, Zack! hurla-t-il.

Le regard de Zack alla de Foley à son compagnon.

— Il ne m'a même pas demandé de démissionner, continua Sid. C'est moi qui en ai fait la demande tout seul. (Il lui toucha l'épaule.) Je suis content que ça soit terminé, Zack, vraiment content.

— Je ne suis pas sûr que tu saches bien ce que tu fais. J'ai l'impression que cette connerie t'a tapé sur le ciboulot.

— Non. Je n'aurais jamais dû venir ici, en fait. Comme tout le reste dans ma vie, ce n'était pas pour moi que je le faisais. Bon Dieu, je n'ai vraiment pas envie de piloter des chasseurs. Je faisais ça uniquement pour mon frère et mon père.

Des larmes commencèrent à lui monter aux yeux, sa mâchoire se mit à trembler. Il fixa son ami un instant, l'air lugubre, puis partit soudain en courant à toute vitesse entre les bâtiments.

— Sid! attends! hurla Zack. Mais où vas-tu, Bon Dieu?

Sans se retourner, Sid continua de courir. Zack prit son élan pour le suivre puis s'arrêta brusquement et se mit au garde-à-vous devant Foley.

– Avec votre permission, monsieur!
Foley lui fit simplement oui de la tête.

Zack se rua vers les baraquements; Sid n'y était pas.
Il le chercha dans plusieurs coins de la base où il
aurait pu se trouver; pas de Sid. Il avait très bien pu
prendre un taxi ou un bus pour aller voir Lynette.
Qu'est-ce que ce con allait faire? Peut-être voulait-il
attendre la pause café de l'usine pour lui parler. Zack
se précipita à nouveau jusqu'aux baraquements. Il se
mit en uniforme – on ne l'aurait pas laissé quitter la
base en treillis –, sauta sur sa Triumph et prit la route
de Port Angeles.

Il se faufilait dans la circulation en rageant contre
tout le monde : contre Sid parce qu'il avait démissionné, contre Foley qui l'avait laissé faire et surtout
contre Lynette qui avait déclenché tout ce méli-mélo.
Quelle saleté de gâchis! répétait-il. Sur le ferry, il se
mit enfin à réfléchir. Il avait bien failli se faire jeter lui
aussi. Il n'aurait plus manqué que Sid revienne sur sa
décision et que, finalement, Lynette ait ses règles! Si
Foley l'avait viré parce qu'il l'avait traité d'enculé, ça
aurait été le comble.
Faudrait voir à rester calme, mec, se dit-il. Il en
avait encore pour deux semaines. Il eut un moment de
gratitude pour le sergent qui avait laissé passer sa
grossièreté. Le salopard était donc capable d'oublier
un peu le règlement!
Le ferry aborda à Port Angeles et il se lança vers la
fabrique de papier dont les cheminées crachaient de
lourds nuages de fumée.
Il n'y trouva ni Lynette, ni Paula, ni sa mère.
C'était leur jour de congé. Il se maudit d'avoir perdu
son temps à venir jusque-là et son moral tomba loin au-
dessous de zéro quand il vit la façon dont les femmes
de la chaîne le mangeaient des yeux. Le paradis des
debs! songea-t-il en s'enfuyant. Vivement la Floride!

Esther Pokrifki travaillait dans son jardin quand il stoppa devant la maison.

– Salut, Zack, dit-elle en se redressant. Comment allez...

– Est-ce que votre fille est ici? demanda-t-il d'un ton tranchant.

La porte d'entrée s'ouvrit et Paula, en jeans et chemisier léger, fit son apparition.

– Salut, Zack! (Elle descendit les marches du perron.)

– Je cherche Sid.

– Qu'est-ce que ça veut dire? demanda-t-elle en s'arrêtant à la grille.

– Ça veut dire qu'il a démissionné et que je n'ai pas la moindre idée de l'endroit où il peut être.

– Pourquoi a-t-il fait ça?

– Tu sais aussi bien que moi ce qui s'est passé, dit-il en hochant la tête avec un air dégoûté.

– Vraiment?

– Arrête ce petit jeu, Paula. Ça n'est pas le moment. Il faut que je le retrouve.

– Je ne joue à rien du tout! hurla-t-elle soudain. Tu n'as qu'à aller chez Lynette, c'est logique, non?

– Je ne sais pas où elle habite.

Paula ouvrit le portillon, traversa le trottoir et grimpa derrière lui.

– Fais demi-tour, ordonna-t-elle.

Avant de disparaître à l'angle de la rue, elle fit un signe de la main à sa mère qui les observait, abasourdie.

Quand le taxi s'arrêta devant sa maison – celle où elle avait toujours vécu –, Lynette était en train de se faire les ongles, assise devant sa porte. Sid, un immense sourire aux lèvres et vêtu en civil, descendit du véhicule.

– Qu'est-ce que...? (Bouche bée, elle ne put achever sa phrase.)

162

– Salut, chérie, lui lança Sid, et il lui fit signe de le rejoindre sur le trottoir.

– Salut!

– Viens! J'ai quelque chose à te dire.

D'un seul coup, elle comprit. On était en semaine. Il n'aurait pas dû être là.

– Qu'est-ce que tu fais sans uniforme, Sid? Tu ne vas pas avoir d'ennuis?

– T'inquiète pas! Viens voir là, j'ai une surprise pour toi.

– Je ne peux pas descendre comme ça. (Elle posa une main sur sa tête hérissée de bigoudis.)

– Tu es merveilleuse!

– Attends une minute que je m'arrange.

– Pas question! (Il marcha jusqu'au perron et l'embrassa.) Je suis tellement heureux! J'ai l'impression que je vais exploser.

– A te voir, c'est bien ce qu'on dirait.

– Tiens, chérie. (Il tira une petite boîte de sa poche et la lui tendit.) C'est pour toi. Toutes mes économies y sont passées, mais je me suis dit : quelle importance?

Elle l'ouvrit et resta frappée de stupeur devant le diamant monté sur un anneau de fiançailles qui reposait dans l'écrin.

– Sid! Il est magnifique! (Elle leva les yeux vers lui.) Est-ce que ça veut dire...?

– Parfaitement! Nous allons nous marier, Lynette. On va filer chez le juge de paix et se marier.

Elle essaya l'anneau : il était juste à son doigt. Elle fit un pas en arrière, submergée de bonheur. Puis elle se retourna vers le pavillon miteux : tout cela ne serait bientôt plus qu'un mauvais souvenir.

– Oh, Sid! Allons chez Paula pour lui annoncer la nouvelle! Mon Dieu! Je me demande quel sera notre premier cantonnement? poursuivit-elle d'une voix suraiguë. Je voudrais tant que ça soit Hawaï! J'ai toujours rêvé d'y aller.

Sid la saisit par le bras.

– Nous ne serons cantonnés nulle part, baby.

– Hein?

– J'ai démissionné.

– Tu as démissionné? (Lynette eut l'impression que l'on venait de la gifler.)

– Il valait mieux.

– Mais pourquoi? Non, ce n'est pas vrai, hein?

– Je n'ai pas envie de devenir aviateur, chérie. Je me forçais, comme je me suis forcé à faire plein d'autres choses toute ma vie. Mais maintenant, c'est fini. Voilà!

Lynette laissa tomber la tête sur sa poitrine et regarda le sol comme si elle contemplait les miettes d'un rêve brisé.

– Mais où irons-nous, alors?

– En Oklahoma! lança-t-il fièrement.

– Et pour y faire quoi?

Il haussa les épaules comme si cela n'avait aucune importance.

– Je pourrai toujours reprendre mon ancien boulot à la J.C. Penny's. Dans un an ou deux, je serai chef de rayon.

– Ça serait chouette. (Elle n'arrivait même pas à le regarder.)

– Tu vas adorer l'Oklahoma, Lynette. Et je suis sûr que tu t'entendras très bien avec maman. Question fric, on sera peut-être un peu juste au début, mais on s'en sortira, tu verras. Et puis quand le bébé aura poussé, je retournerai au collège; je peux devenir avocat ou...

– Sid!

– Qu'est-ce qu'il y a, chérie?

– Il n'y aura pas de bébé, Sid.

Il eut un léger haut-le-corps et cligna deux ou trois fois des yeux.

– Répète!

– Je ne suis pas enceinte. J'ai eu mes règles ce matin.

Il la contemplait, bouche bée.

— Il n'y a pas de bébé en route, Sid! (Elle avait crié comme si cela avait été de sa faute, à lui.)

— Ça alors! fit-il avec un petit rire. C'est un peu fort.

— Je suis désolée, bredouilla-t-elle.

— Et si nous nous mariions quand même? Qu'est-ce que tu en dis? demanda Sid en retrouvant le sourire.

— Heu!

— Je t'aime, Lynette. Je suis amoureux de toi, je viens de le comprendre.

— Oh, Sid!

Elle le regardait avec l'expression de quelqu'un qui écoute les divagations d'un fou.

— C'est vrai! J'ai vécu, ces derniers week-ends, les plus beaux moments de ma vie. Je ne me suis jamais senti aussi bien. C'est si bon d'être aimé pour soi-même!

Elle détourna la tête, incapable de soutenir son regard.

— Epouse-moi, Lynette. Je t'aime.

La jeune femme observa quelques secondes les lointaines cheminées de la fabrique, puis elle se retourna vers Sid.

— Je suis désolée, dit-elle, je ne veux pas t'épouser. Tu me plais vraiment beaucoup et nous avons passé du bon temps ensemble, mais je pense que tu me comprends.

Sid la contemplait, muet.

— Je veux épouser un pilote, Sid. Je veux mener la vie d'une femme de pilote, partir à l'autre bout de la terre!

— J'ai l'impression que j'ai pigé.

Un sourire un peu fou releva le coin de ses lèvres et Lynette crut qu'il allait rire.

— Imbécile! Pauvre imbécile! Personne ne démissionne au bout de onze semaines! Personne! hurla-t-elle en jetant la bague par terre.

Il fit quelques pas, ramassa l'anneau entre le pouce et l'index et le porta à son front comme s'il la saluait. Puis il fit demi-tour et s'éloigna. Quand il arriva à la hauteur de la Falcon de Lynette, il jeta un coup d'œil à cette dernière, puis il sauta dans le véhicule, mit le moteur en marche et démarra en trombe.

– Hé là! (Elle descendit les escaliers en courant, mais la voiture disparaissait déjà au premier carrefour.) Reviens!

Elle levait le poing dans la rue déserte.

– Ramène-moi ma voiture, salaud!

Sur la route qui conduisait chez Lynette, Zack ne dit pas un mot. Il se contentait de hocher la tête chaque fois que Paula lui criait la direction à prendre. Ils étaient presque arrivés lorsqu'il se demanda soudain à quoi rimait sa démarche. Qu'allait-il faire s'il trouvait le grand Sid bien au chaud dans les bras de sa Lynette? Allait-il lui expliquer qu'elle était une affreuse salope? Pas question. Au moins pourrait-il s'assurer que tout se passait bien. S'il voulait épouser cette fille et garder l'enfant, au fond c'était son affaire.

– C'est là! cria Paula en montrant du doigt un pavillon en bois qui aurait eu besoin d'un bon coup de peinture.

– Merde! dit Paula comme il stoppait devant la maison.

– Qu'est-ce qu'il y a?

– J'ai l'impression qu'elle n'est pas chez elle, il n'y a pas de voiture.

– Chouette! il l'a peut-être enlevée.

– Lynette! (Paula sauta de la moto et gravit les marches du perron en courant.) Lynette!

Elle frappa à la porte. Assis sur sa selle, Zack observait Paula en essayant de ne pas se laisser influencer par sa beauté.

– Viens! lui lança-t-elle en se retournant. Elle est là.

Zack bondit de la moto et la suivit à l'intérieur. Lynette, une cigarette aux lèvres et l'air passablement abattu, était assise dans la cuisine.

– Tu as vu Sid? demanda Paula.

Lynette acquiesça.

– Eh bien alors, où est-il? intervint Zack.

– Il est venu et il est reparti. (Lynette fit un vague mouvement de la main.) Il m'a volé ma voiture par-dessus le marché.

– Où est-il allé? insista Zack.

On aurait dit que Lynette n'avait même pas entendu la question.

– C'est incroyable, non? Il a démissionné pendant la douzième semaine. Comment veux-tu y arriver? Hein, tu peux me le...

– Est-ce que oui ou non tu sais où il est allé? répéta Zack.

– Non! mais si cette voiture n'est pas revenue ici dès demain, j'appelle les flics. C'est quand même...

Zack la saisit par les épaules et la força à le regarder dans les yeux.

– Qu'est-ce que tu lui as dit à propos de l'enfant?

Elle le fixa avec des yeux ronds.

– Alors?

– Que je n'étais pas enceinte. J'ai eu mes règles ce matin.

– Oh, bon Dieu! s'exclama Zack avec l'air de ne pas en croire ses oreilles.

– Je n'en suis pas revenue, avoua-t-elle. Il voulait m'épouser quand même.

– Et tu l'as envoyé promener! insinua Zack.

– Bien sûr! (Elle alluma une nouvelle Slim au mégot de la précédente.) Je n'ai pas envie d'épouser un Okie de Muskogee. Je peux trouver ce genre de gars ici, à Port Angeles.

– Tu es une petite salope! (Zack l'agrippa à nouveau et se mit à la secouer.) Comment as-tu pu faire ça?

– Facilement! lança Lynette en le repoussant.

Une lueur de haine passa dans le regard de Zack.

– Dis-moi juste une chose, Lynette : est-ce que tu as inventé cette histoire de bébé de toutes pièces?

Elle ne répondit pas.

– Est-ce que tu l'as inventée ou pas? hurla-t-il.

Elle poussa un profond soupir et regarda la table.

– Bien sûr que non. Je n'irais jamais raconter une chose pareille, si ce n'était pas vrai. (Elle releva la tête vers son amie.) N'est-ce pas, Paula?

Paula ne fit pas de commentaire. Le regard de Zack passa plusieurs fois de l'une à l'autre.

– Vous faites une belle paire toutes les deux, laissa-t-il tomber.

Puis il écarta Paula et sortit de la cuisine.

Lynette lança un pauvre sourire à son amie. Paula secoua la tête d'un air incrédule.

– Est-ce que tu as menti à propos de ce retard, dis-moi?

Elle n'obtint pas de réponse, ce qui équivalait à un acquiescement. Alors, elle fit un pas en avant et gifla Lynette de toutes ses forces.

Comme elle allait passer la porte, Lynette la rappela.

– Quoi?

– Tu ne vaux pas mieux que moi, et tu le sais.

– Si! Et toi aussi, tu le sais.

Elle courut rejoindre Zack et sauta sur sa moto avant qu'il ne démarre.

– Qu'est-ce que tu fous là?

– Je viens avec toi.

– Je voudrais bien savoir pourquoi.

– Parce qu'il n'est pas seulement ton ami!

Zack haussa les épaules et mit les gaz à fond. Paula passa ses deux bras autour de sa taille et ils prirent la direction de l'autoroute.

Chaque fois que Sid accélérait brusquement, le pot

d'échappement de la Falcon crachait un nuage de fumée noire. Il trouva la chose amusante et se gara en riant devant un marchand de vins et alcools. Les freins grincèrent et le moteur surchauffé hoqueta plusieurs fois. Sid descendit et donna une grande tape sur le capot de la voiture.

– T'aurais besoin d'une sérieuse révision, ma vieille. Tu tombes en ruine!

Il acheta une bouteille de Jack Daniel's et, de retour dans la Falcon, il en but quatre ou cinq gorgées avant de repartir. L'alcool lui brûla l'estomac, mais il se sentit bientôt encore plus triste qu'avant. De grosses larmes se mirent à rouler sur ses joues. Il pourrait appeler Suzan, se dit-il. Cette bonne vieille Suzan! Elle lui répondrait, pour sûr. Elle lui répondait toujours. Il ricana, puis, en plissant les yeux, il s'observa dans le rétroviseur. « Tout va bien, Sid, minauda-t-il. Tout ce que tu as fait jusqu'à ce jour a toujours été parfait. » « Oh, bon Dieu! » D'un coup de volant, il remit la voiture dans l'axe de la route; il avait été à deux doigts de plonger dans l'océan. « Tu es un pauvre petit trou du cul qui s'est bien fait baiser, reprit-il sur le même ton, mais ça n'a aucune importance, chéri. Je veux bien te reprendre. Je serai toujours là pour toi, tu sais bien. » Il donna une claque sur le volant et éclata de rire. Après avoir bu une longue rasade de whisky, il jeta un coup d'œil à l'indicateur de température. L'aiguille restait bloquée dans le rouge. Il remarqua que le bouchon du radiateur laissait échapper un peu de vapeur. Il but une nouvelle gorgée. « Et merde! soupira-t-il. Allez, ma grosse! cria-t-il à la voiture. Plus que deux bornes et on sera au *Tides Inn*! »

Une fois garé sur le parking du motel, il prit une nouvelle lampée de Jack Daniel's et sortit du véhicule en laissant les clefs sur le tableau de bord. « Un prêté pour un rendu, Lynette! » Il posa ses mains sur le bouchon qui fumait toujours et ne les ôta que lorsqu'il sentit que sa peau commençait à brûler. « Mission

accomplie, ma grande. Repose-toi bien. » Puis il pénétra en titubant dans le hall d'entrée.

— Vous n'êtes pas en retard cette semaine, lui lança
l'homme assis derrière le comptoir.

— Vous n'allez pas vous plaindre?

L'homme rit.

— Buvez un coup, proposa Sid en lui tendant la
bouteille.

— Ça m'est interdit.

Le gérant se tapota l'estomac et posa un formulaire
devant Worley.

— Vous n'avez pas de chance, commenta ce dernier
en remplissant sa fiche.

— Votre amie va venir? demanda l'homme avec un
petit clin d'œil complice.

Sid secoua lentement la tête en silence avant de
déclarer :

— J'ai rendez-vous avec une grande amie, ma meilleure amie, nom de Dieu! (Il but une gorgée de
whisky.) Vous êtes sûr que vous n'en voulez pas?

— Non, merci.

— Comme vous voudrez! (Sid prit sa clef sur le
comptoir et, en la fourrant dans sa poche, sa main
rencontra l'écrin de la bague.) Hé!

— Quoi?

— Est-ce que vous avez déjà vu faire ça? lui demanda-t-il en lui mettant le bijou sous le nez. Regardez! (Il
déposa la bague sur sa langue et l'avala lentement;
puis, pour faire bonne mesure, il la noya avec une
longue rasade de whisky.) Bien le bonjour à Broadway!
conclut-il, et il partit vers sa chambre.

Quand Zack aperçut la Falcon sur le parking du
Tides Inn, il se sentit un peu soulagé; et lorsqu'il
constata qu'elle fumait encore, il poussa un grand
soupir.

— Y a pas longtemps qu'il est là, dit-il en coupant le
contact de la Triumph.

– Je vais voir quelle chambre il a prise.

Paula s'élança vers le bureau. Quelques secondes plus tard, elle réapparut en haut des marches.

– La sept!

– Sa chambre préférée, remarqua Zack en souriant. Allons, il n'est peut-être pas trop saoul!

Devant le numéro sept, ils tendirent l'oreille. La télévision diffusait un air sirupeux. Zack frappa à la porte.

– Sid! C'est moi, Zack!

Pas de réponse.

– Sid! Ouvre, c'est moi!

Il frappa à nouveau, puis tourna la poignée. La porte s'ouvrit sans résistance mais, dans la chambre, il n'y avait que la télé en train de chercher bêtement à séduire par ses mièvreries la bouteille de Jack Daniel's vide qui trônait sur la table de nuit.

– Sid? (Il s'avança dans la pièce, suivi de Paula qui lui faisait écho.) Sid?

Toujours rien.

La porte de la salle de bains était fermée. Zack s'en approcha et y tapa trois petits coups.

– Hé, Sid! T'es sur le chiotte?

Paula éteignit la télévision et un silence total s'abattit sur eux.

– Sid?

Zack essaya d'ouvrir. La porte ne résista pas. Il la poussa lentement, peu désireux de surprendre son ami dans l'intimité.

Il aperçut tout d'abord ses chaussures... quinze centimètres au-dessus du carrelage. Et quelques secondes durant, il ne parvint pas à regarder plus haut. Puis il retrouva son sang-froid et, en un tournemain, il avait remis la chaise sur pied, sauté dessus, arraché la cravate de Sid du tuyau d'arrivée d'eau et allongé sur le sol le corps – incroyablement lourd – de son ami. Puis il se mit à hurler comme une bête sauvage.

– Pourquoi? Pourquoi Sid? (Il prit le corps dans ses

bras et se mit à le bercer comme un petit bébé.) Pauvre con d'Okie, pourquoi t'as fait ça? Pourquoi tu m'en as pas parlé avant, mec?

Et il éclata en sanglots, à peine conscient de la présence de Paula qui le tenait par le cou en pleurant à ses côtés.

Il demeura auprès de Sid, pendant que Paula allait téléphoner à la police, et après avoir répondu à toutes les questions, il s'esquiva. Il longea la grève sur deux ou trois kilomètres et ne s'arrêta que parce qu'il avait rencontré une barrière de rochers infranchissable. Debout, face à l'océan, il jeta des pierres dans l'eau noire, puis prit le chemin du retour. Il ne pensait pas spécialement à Sid, mais à la vie en général. Quoi que l'on fît, on finissait toujours par toucher le fond, songea-t-il. Il se demanda également ce qu'il allait devenir, lui. Le vrombissement d'un jet au-dessus de sa tête ne lui fut d'aucun secours. Sans Paula qui vint à sa rencontre, il eût certainement dépassé le motel sans même le voir.

— Hello! cria-t-elle.

Il hocha la tête, désespéré. Dieu que les mots étaient bêtes! Comment quelqu'un pouvait-il dire « Hello! » après ce qui venait de se passer?

— Tout est réglé, dit-elle doucement. J'ai vu le chapelain de la base. Il se charge d'avertir ses parents.

Paula se rendit compte qu'il ne l'écoutait pas.

— Zack?

— Je suis rentré par la porte de derrière, comme d'habitude. (Il avait ralenti le pas et faisait des gestes désordonnés.) J'ai foncé sur le frigo. Pas de lait. Pas de beurre de cacahuètes. (Il tourna la tête et son regard rencontra celui de Paula.) Elle était incapable de faire les courses. Je devais m'occuper de tout. (Après quelques nouveaux pas, il s'arrêta soudain.) Je l'ai cherchée dans la baraque pour qu'elle me file un peu de fric et je l'ai trouvée dans la salle de bains. Elle était allongée dans ses propres déjections. Ma première pensée fut : Merde! j'en ai au moins pour deux heures à nettoyer ça! Je l'ai appelée : Maman! hé! lève-toi! (Il s'arrêta.)

– Zack, tu...

– Mais son visage était d'une couleur bizarre. J'ai remarqué alors une bouteille à côté d'elle... et un tube de comprimés... vide. (Sa voix traînante se tut et il laissa échapper un petit rire triste.)

Paula posa sa main sur son épaule, mais il sursauta et s'écarta brusquement comme si on l'avait attaqué.

– Non! ordonna-t-il, et il reprit sa marche le long de la plage.

Elle le suivit, quelques pas en retrait.

– Zack, ne te fais pas de mal à toi-même. Ce n'est pas toi qui as tué ta mère ni Sid. Ce sont eux qui l'ont fait tout seuls.

– Merci!

Il arracha sa casquette et la jeta dans l'eau.

– Zack, tu n'y peux rien.

Il s'immobilisa, plongea une main dans sa poche et lui tendit un peu de monnaie.

– Tiens! prends un taxi.

– Pourquoi?

– Parce que j'ai pas envie de te parler!

Il jeta l'argent à ses pieds et partit en direction du parking.

– C'est pas sympa! cria-t-elle en courant derrière lui. Tu n'es pas le seul à être triste ce soir. Et si...

– Et si quoi? demanda-t-il en se retournant soudain.

– Et si j'étais en partie responsable de ce qui s'est passé?

– Je ne te crois pas.

– Je savais que Lynette voulait lui mettre le grappin. J'aurais pu te le dire.

– Mais tu ne l'as pas fait.

– Non, je ne l'ai pas fait, murmura-t-elle en baissant la tête.

D'un geste de la main, il balaya sa responsabilité.

– Ne te casse donc pas la tête pour ça. La prochaine session ne va pas tarder à commencer et tu pourras te remettre au turbin avec Lynette, ricana-t-il, l'air écœuré.

– Ça n'est pas mon genre, cria Paula. Je ne t'ai jamais menti. Ne me confonds pas avec elle! (Elle essuya ses larmes.) Tu ne comprends donc pas que je t'aime, imbécile? Je t'aime depuis la seconde où je t'ai vu!

Il fit brusquement demi-tour, courut jusqu'à sa moto et sans un regard en arrière s'élança sur la route.

Il rangea la Triumph à côté du baraquement. Un peu plus loin, Foley faisait un speech aux aspirants qui n'avaient pas été éliminés. Bande de cons! pensa Zack. Quelle importance tout cela pouvait-il bien avoir? Il se demandait, de Lynette et du programme, lequel avait le plus enfoncé Sid. Les deux avaient peut-être conjugué leurs efforts pour en venir à bout.

La cravate desserrée, le premier bouton de sa chemise ouvert et le pantalon froissé, il partit en direction de la formation. « Et merde, murmura-t-il. On ne peut rien me dire après tout. » Il n'avait aucune idée de ce qu'il allait faire à présent. Démissionner, tuer Lynette et attendre dans une piaule avec Byron et des putes que les flics viennent le cueillir? Quelle belle fin!

Foley et la section venaient de se mettre en marche. Ils avançaient vers lui. En le voyant, le sergent les arrêta et prit un air chagrin.

– Mayo, déclara-t-il, tes camarades sont au courant pour l'aspirant Worley. Nous sommes tous désolés.

– Monsieur, dit Zack, après un instant de réflexion, l'aspirant Mayo vous demande la faveur d'un entretien privé.

Le regard de Foley balaya la formation, puis se reposa sur lui.

— J'ai à faire, Mayo. Il te faudra attendre.

— C'est important, monsieur. (Bien sûr, ce n'est pas prévu dans ton putain de programme, mais c'est plus important que toutes les singeries que tu nous fais faire, pensa-t-il.)

— Tu ne m'as pas bien compris, Mayo. Je t'ai dit que j'avais à faire. Et toi aussi!

— Qu'est-ce que vous voulez dire?

— Regarde-toi! T'es dégueulasse. Va te nettoyer!

Zack faillit éclater de rire.

— Pas la peine, répondit-il.

— Comment? (Les pupilles du sergent s'étaient dilatées.)

— J'ai dit, c'est pas la peine. (Et en pointant un doigt vers lui, il ajouta :) Je me fiche de vous et je me fiche de la Navy! (Sur ce, il commença à s'éloigner.) Je me fiche de tout, d'ailleurs! grommela-t-il.

— Mayo! hurla Foley.

Il se retourna, sourit au sergent et revint sur ses pas.

— Tu voulais un entretien privé, hein? Eh bien, c'est d'accord. Dans le hangar, Mayo! Et tout de suite!

Zack lui lança un regard inquisiteur.

— Allez, avance! cria Foley.

— Avance toi-même! lâcha Zack en prenant d'un pas traînant la direction du vieux bâtiment.

Foley le dépassa à grandes enjambées et il le suivit en lui plantant un regard haineux entre les omoplates. On y arrivait! C'était parfait! Il allait enfin rouler cette pauvre merde dans la farine, l'humilier devant tous les aspirants dont il avait arraché le respect par la violence. Zack jeta un coup d'œil à ses camarades. Ils hésitaient à suivre le mouvement. Il s'en foutait royalement. De toute façon, ils sauraient qui serait le gagnant, qu'ils soient témoins ou non, et le perdant aurait droit à leur mépris.

Devant lui, tout en marchant, le sergent ôta sa cravate, la mit dans la poche de sa chemise. Zack enleva la sienne, la glissa dans la poche de sa veste. Le sergent sortit les pans de sa chemise de son pantalon et la déboutonna. Zack fit de même. Ils pénétrèrent dans le hangar. Foley s'assit au bord du tapis, quitta chaussures et chaussettes, immédiatement imité par Zack. Puis Foley sauta sur le tapis, alla se placer en son centre et croisa les bras. Il était prêt.

Zack regarda à nouveau par-dessus son épaule. Les aspirants n'osaient pas entrer. Quelques-uns s'étaient massés près de la porte et les autres avaient pris position derrière les multiples fentes des vieilles parois. « Parfait, ils n'ont qu'à bien ouvrir leurs quinquets », se dit Zack. Il s'en trouverait sûrement parmi eux à se réjouir de la défaite de l'instructeur. Il n'y en aurait pas pour longtemps. Il sauta sur le ring à son tour et affronta le regard impitoyable de son adversaire. Pas la peine de parler. Ils connaissaient les règles aussi bien l'un que l'autre, ou du moins *la* règle : tous les coups étaient permis. Zack n'avait pas oublié la leçon du passage d'Olongpao.

Presque sans réfléchir, dans un vif mouvement tournant, il lança son pied droit qui atteignit Foley sur la bouche, puis, dans le même élan, il lui plaça un crochet du gauche, un direct du droit et l'envoya au sol par un dernier coup de savate au menton. Foley roula sur lui-même et se redressa lentement, l'air groggy. On aurait dit qu'il allait tomber et Zack lui balança un nouveau coup de pied pour l'achever. Mais le sergent se redressa brusquement, lui attrapa le talon à deux mains et l'envoya voler de l'autre côté du tapis. Il atterrit sur le dos de son adversaire et lorsqu'il se retourna, ce fut pour recevoir son pied en pleine figure. Il hurla de douleur mais n'oublia pas d'accompagner le coup, et au terme d'une roulade, il était à nouveau debout.

Les deux adversaires gardèrent un instant leurs

distances, le temps de reprendre souffle. Puis Foley avança d'un pas. Zack fit mine de viser son menton et lui planta son poing dans l'estomac. Il eut l'impression d'avoir frappé le réservoir de sa Triumph et n'eut que le temps d'esquiver un direct. Mais le sergent avait glissé une jambe derrière les siennes, et d'une poussée, il le renversa. Zack fit un roulé-boulé pour éviter un coup de pied et la seconde d'après il se relevait. A cet instant, il crut qu'il allait gagner. Il sauta en arrière pour éviter un nouveau coup de pied, puis bondit en avant; il atteignit Foley d'un terrible gauche en plein visage. Alors soudain, le sergent se figea, comme si jusque-là il avait joué avec un gamin qu'il s'agissait à présent de calmer. Zack propulsa son droit et le nez de son adversaire se mit à saigner. Mais il n'avait pas bronché; il leva lentement les bras sans s'occuper de Zack dont le pied l'atteignit à la joue, puis resta ainsi en garde, comme une statue. L'aspirant s'avança à nouveau. Une dernière savate à la tête et ce sera terminé, se dit-il. Le coup de grâce en quelque sorte.

Lorsque le talon de Zack décolla du sol, les pupilles du sergent s'étrécirent, et son pied était encore à cinquante centimètres du visage de l'instructeur quand celui-ci lança sa jambe en avant. Zack eut l'impression de recevoir un éclat d'obus dans le ventre; son pied à lui n'atteignit jamais son but. Avec un grognement de douleur, il pivota et s'écroula sur lui-même, les mains aux couilles.

— T'en veux encore? demanda Foley en se penchant sur lui.

Zack fit non de la tête.

— Maintenant, tu es libre de choisir ce que tu veux faire.

Le sergent ponctua ces paroles d'un petit salut et s'éloigna. Bien qu'il fût sonné, Zack ne put s'empêcher d'avoir une pensée admirative pour l'instructeur.

11

Zack resta un long moment étendu sur le tapis. Il tentait de rassembler ses idées; non sans mal. Il s'endormit même carrément une ou deux fois. Le mieux serait peut-être d'aller donner sa démission, de sauter sur sa moto et de ficher le camp. Il se sentait si épuisé qu'il ne se voyait pas du tout suivre le programme pendant la semaine à venir. Et puis comment pourrait-il paraître devant Foley à présent? Et comment assumer la disparition de Sid?

Il perçut quelques frottements sur le sol près de lui et parvint à soulever les paupières : Perryman, Seeger et Della Serra l'entouraient. Un soudain émoi l'envahit et il préféra refermer les yeux. Il enfouit son visage dans ses bras et lutta pour se contrôler. Quand il se fut ressaisi, il s'assit; il avait brusquement compris que ces trois êtres étaient ses seuls vrais amis. Il se força à leur sourire.

— Ça va? demanda Perryman.

— Je ne me suis jamais senti aussi bien.

Zack tenta de se lever et grimaça. Ses parties lui faisaient un mal de chien.

— C'était un sacré spectacle, fit Della Serra.

— Je n'ai pas voulu le battre devant vous, lâcha Zack avec modestie.

— On a bien compris, fit Seeger.

— Vous voyez, continua-t-il, je ne voulais pas saper son autorité.

— T'es vraiment un ange, concéda Perryman. Bon, qu'est-ce que tu dirais d'aller faire une petite toilette?

Zack acquiesça et se releva lentement.

— Il me faudra peut-être marcher un peu moins vite que d'habitude.

— On ira faire du cheval plus tard. Y a rien qui presse, lui glissa Casey.

Cette idée lui arracha un gémissement.

– Merci, les gars, dit-il simplement, et ils se mirent en route vers leur baraquement.

Arrivés dans la chambre, il se sentait déjà mieux, mais la vue du matelas de Sid roulé sur son sommier lui fit retomber le moral à zéro. Perryman qui avait suivi son regard lui donna une tape d'encouragement dans le dos, puis alla s'allonger sur son lit et le laissa en tête à tête avec ses pensées.

Zack resta un moment immobile devant son armoire, incapable de décider de ce qu'il allait faire. Sa colère contre Lynette et Foley était retombée, mais il ne parvenait pas à s'imaginer finissant la session ni tout vêtu de blanc et d'or le jour de sa nomination. D'autre part, où aurait-il pu aller?

Où diable pourrais-je aller? se répétait-il.

Il se regarda dans son petit miroir. Son visage n'était que plaies et bosses. Bon, se dit-il, démission ou pas, la première chose à faire, c'est de prendre une bonne douche et de me changer. Il attrapa ses affaires de toilette et des vêtements propres dans son placard.

– Je vais me refaire une beauté, lança-t-il à Perryman.

Ce dernier s'assit sur son lit et le contempla.

– Hé ben! t'as du boulot, mec.

Zack sortit, se traîna péniblement jusqu'aux douches où il tenta de tout oublier sous un flot d'eau brûlante.

Il avait pour règle de ne jamais prendre de décisions importantes le ventre vide. Aussi, une fois lavé et changé, se rendit-il au snack-bar. Il commanda le plus gros des hamburgers maison et pour faire bonne mesure engloutit également un sandwich jambon fromage. Cela faisait si longtemps qu'il n'avait rien mangé que la nourriture le calma. En sortant du snack, il marcha jusqu'au Club des officiers. Adossé contre un arbre, il observa le va-et-vient des jeunes aviateurs, des instructeurs et de leurs femmes. Leurs debs, songea-t-il. Que pouvaient bien faire Lynette et Paula à cette heure? Auraient-elles la pudeur de se tenir à l'écart de la base jusqu'à son départ? Sid méritait un sort plus heureux. Zack n'arrivait pas à démêler pourquoi tout avait si mal tourné pour lui. Il reprit lentement la direction des baraquements.

En chemin, il entra dans le hall du poste de garde pour téléphoner, tira des pièces de sa poche et composa un numéro. Une grosse voix lui répondit :

— Allô!

— Byron?

— Ouais!

— Ici Zack!

— Zackie! s'exclama son père après un bref silence. Comment vas-tu, mon vieux?

— Très bien.

— Hé! Est-ce que t'aurais besoin de fric?

— Non, pas vraiment.

— Qu'est-ce qui se passe alors?

Tandis qu'il parlait, Zack entendit la voix d'une autre personne qui s'agitait dans la pièce; peut-être même deux.

— Est-ce que tu as quelque chose de spécial à faire, pas ce week-end, mais l'autre d'après?

— Rien de plus que ce que j'ai fait chaque week-end ces trente dernières années. (Le bougre avait de la constance, on ne pouvait pas lui enlever ça.)

— Qu'est-ce que tu dirais de venir à la cérémonie de remise des diplômes?

— La remise des diplômes?

— Je pense que je vais l'avoir, papa.

— Ben ça alors! souffla Byron après un silence.

— Ça ne prendra pas trop de ton temps.

— Pour voir ça, je serais prêt à sacrifier trois journées de congé!

— Alors, à bientôt!

Il raccrocha.

Il resta un instant à réfléchir, debout dans le hall, puis descendit les escaliers en courant; bon sang, s'il voulait avoir ce sacré diplôme, il avait intérêt à bichonner ses godasses pour l'inspection du lendemain!

Comme tous les jours depuis la mort de Sid, Paula se réveilla avant que son réveil ne sonne. Elle traversa la chambre à tâtons et enfonça la touche de l'alarme, en prenant soin de ne pas déranger ses petites sœurs. Elle était réglée sur 6h30, et il n'était même pas 6 heures. La jeune femme fit une rapide toilette dans la salle de bains, s'habilla, puis s'en fut dans la cuisine préparer le café. Elle alla ensuite s'asseoir sur le seuil de la maison et alluma une cigarette. Elle aimait beaucoup ce moment; la maison baignait dans un silence paisible qui s'évanouirait dès que le reste de la famille serait levé.

Cela faisait dix jours que Sid était mort et depuis elle n'avait pas échangé quatre mots avec Lynette. Elle s'était définitivement coupée des autres debs de Puget et avait décidé de ne plus jamais remettre les pieds à la base. Cette période de sa vie était terminée. Dès qu'elle aurait économisé suffisamment d'argent, elle quitterait la ville et se bâtirait une vie nouvelle. Le samedi précédent, elle s'était rendue à Seattle où elle avait passé tout l'après-midi à la bibliothèque afin de compulser la documentation sur les Junior Colleges. Elle n'avait pas encore décidé dans quel coin elle irait s'installer. Peut-être tout simplement à Seattle, encore que son goût de l'aventure l'incitât à descendre plus au sud, à San Francisco ou Los Angeles. Mais rien ne la pressait. Elle n'aurait pas assez d'argent avant la fin de l'année et il serait alors temps de faire un choix.

La sonnerie du réveil de ses parents retentit. « C'est reparti », murmura-t-elle. Ces derniers temps, cela ne se passait pas trop mal avec eux, mais elle savait qu'il lui fallait partir, surtout pour elle-même. Elle devait quitter cette sacrée usine et même cette ville où sa réputation de deb ne s'effacerait jamais. En attendant, il y avait le quotidien à assumer.

Le plus dur, c'étaient les transports en autocar jusqu'à l'usine. En général, elle faisait le trajet avec sa mère et Bunny. Or cette Bunny n'adorait rien comme les commérages. Elle avait tellement pressé Paula de questions pour connaître le pourquoi et le comment du suicide de Sid qu'elle avait fini par l'envoyer promener. Pour Bunny, ce n'était qu'une histoire de plus à se mettre sous la dent et elle se démenait comme un vautour qui ne veut pas lâcher sa charogne tant qu'il reste un morceau de viande sur ses os. Mais pour Paula, il en allait autrement et elle préférait ne plus en parler. Elle faisait donc les trajets sans dire un mot, toutes ses pensées tournées vers l'avenir.

Ce matin-là, juste avant que la chaîne ne se mît en marche, Lynette s'approcha d'elle avec un grand sourire.

– Salut, Paula!

– Comment va, Lynette?

– Très bien.

Lynette n'avait pas eu l'air très affectée par la disparition de Sid et Paula s'était même fait la réflexion que, sans le vol de sa voiture et son radiateur fichu, elle n'y aurait plus pensé dès le lendemain.

– Qu'est-ce que t'en dis des nouvelles machines? demanda Lynette.

Paula les regarda et ne leur trouva absolument rien d'intéressant.

– Vraiment chouettes! Tu sais quel jour on est?

– Vendredi, grâce au ciel.

– C'est le jour de la remise des diplômes.

– Ah oui, c'est vrai!

– J'espère qu'il l'aura.

Lynette haussa les épaules et partit en direction de son poste.

Paula travailla toute la journée comme un robot.

Elle ne cessa de songer à Zack, espérant qu'il avait suivi la session jusqu'au bout, mais ne pouvant en même temps s'empêcher de l'imaginer, tête brûlée comme il l'était, installé depuis une semaine à Tombouctou. De toute façon, elle savait qu'elle ne le reverrait jamais. Tout ce qu'elle lui souhaitait, c'était de devenir un bon pilote qui sillonnerait le ciel tout autour de la terre. Elle se demandait quel genre de fille il finirait par épouser, et comme cette pensée la rendait triste, elle préférait imaginer qu'il resterait célibataire – encore que le célibat, sur le tard, rendît les gens acariâtres. Par moments, au souvenir de la façon dont il l'avait traitée, elle sentait la colère monter en elle, mais le plus souvent elle s'accrochait aux bons moments qu'ils avaient partagés.

– Tête à droite! ordonna Foley et, comme un seul homme, les vingt et un rescapés de la session de Zack tournèrent la tête vers les tribunes.

– Présentez armes! (Les aspirants saluèrent. Le commandant et ses subordonnés groupés sous un dais leur rendirent leur salut.) Reposez armes! (Les fusils redescendirent.) En avant, marche!

Il faisait un temps parfait. Le soleil brillait haut dans le ciel bleu. Une légère brise agitait les branches des arbres et la température était douce. La cadence régulière de leurs pas fit passer un frisson dans le dos de Zack. Bon Dieu! Il avait donc réussi. Dans quelques minutes, il serait promu. Rien ne pouvait plus l'empêcher. Même Byron était là, mêlé au public, et il applaudissait comme un possédé.

Foley les fit défiler devant les tribunes, puis tourner trois fois à gauche pour les ramener à leur point de départ.

– Garde-à-vous! ordonna-t-il enfin.

Après un discours très bref, le commandant leur fit prêter serment, et c'est le visage empourpré et la voix brisée que Zack récita avec les autres :

« Je jure solennellement de défendre la Constitution des Etats-Unis d'Amérique contre tout ennemi, qu'il soit de l'extérieur ou de l'intérieur, de lui rester fidèle, de prendre cet engagement sans contrainte, sans réserves ni projets d'évasion et de servir fidèlement et de mon mieux l'Arme dans laquelle je vais m'engager. Avec la grâce de Dieu. »

Le regard du commandant se promena un moment sur leurs visages et un léger sourire vint adoucir son expression sévère.

— Je vous déclare, ici et maintenant, Enseignes de la Navy des Etats-Unis. Félicitations. Rompez!

Les nouveaux officiers lancèrent leurs casquettes en l'air en poussant des cris de joie et de soulagement. Zack étreignit Casey, puis Perryman et Della Serra. Ils discuteraient plus tard; dans l'immédiat, il leur fallait affronter parents et amis.

Ces derniers s'avançaient des tribunes et bientôt chaque promu fut entouré d'un petit groupe de personnes qui le félicitaient. Byron s'approcha de Zack avec un sourire fier; son uniforme était repassé au quart de poil, son menton rasé de frais et il avait même le fond de l'œil clair. Son fils se fit la réflexion que la veille il n'avait pas dû boire.

— Alors, mon pote! dit Byron.

Zack sortit une feuille de papier de la poche de sa veste et l'agita doucement sous son nez.

— Qu'est-ce que c'est que ça?

— Mon ordre de mission pour Pensacola. La base où ils enseignent à piloter les jets.

— Mon fils, l'homme volant!

— Parfaitement!

Il lui tendit ses galons. Byron les fit tourner un instant entre ses doigts et des larmes lui montèrent aux yeux. Il détourna la tête un moment, puis se plaça à côté de lui et commença à les fixer sur son épaule.

— Tu sais, je n'aurais jamais cru que tu y arriverais, avoua-t-il.

Zack acquiesça.

– Je souhaitais que tu réussisses et tout, mais... (Sa voix s'éteignit.)

– Je sais, pa.

Byron attacha le second galon, puis se recula d'un pas et lui frappa l'épaule.

– Tu dois te sentir sacrément fier avec ça, maintenant.

– Je me sens assez bien, dit Zack en haussant les épaules.

– Allez, déconne pas, t'en peux plus, ça se voit!

– Okay, je suis vraiment heureux. (Zack lui sourit franchement.) Mais ne t'attends pas à ce que je te serve un de ces discours patriotiques à la con.

– Mais non, mon pote. C'est pas ton genre, enfin pas encore. Ça viendra plus tard, après quelques années là-dedans.

Ils éclatèrent de rire et se regardèrent quelques secondes sans rien dire.

– Bon, tu ferais aussi bien d'aller donner ton obole au sergent, conseilla enfin Byron. Sinon je te fais ton premier salut tout de suite.

Zack pencha la tête, soudain envahi par une vague d'émotion. Puis il dit : « Oui, monsieur! », pivota sur ses talons et se dirigea vers Foley.

Le sergent instructeur, glacial jusqu'au bout, se tenait à côté des tribunes où, sa baguette à la main, le visage de marbre, il recevait ses vers de terre, ses débraillés et ses petits cons de collégiens. Pour le moment, c'était Perryman. Ce dernier salua Foley qui salua en retour, puis lui tendit son dollar. La tradition, la première tradition! Casey s'avança et salua.

– Félicitations, monsieur! lui dit Foley.

– Merci, monsieur, heu... je veux dire sergent.

Elle lui donna sa pièce et fila rejoindre sa famille. Zack s'avança à son tour, mais un instant, il se sentit incapable de le regarder en face.

– Félicitations, enseigne Mayo!

Quand Zack releva la tête, Foley était figé dans un salut absolument parfait. Les larmes aux yeux, il le salua à son tour.

– Je ne vous oublierai jamais, aussi longtemps que je vivrai, sergent!

– Je sais!

Zack plongea une main dans sa poche, en tira une pièce d'un dollar et la tendit au sergent.

– Je tiens à ce que vous sachiez que, sans vous, je n'y serais jamais arrivé.

– Merci, monsieur, dit Foley en détournant son regard embué.

– Eh bien, au revoir, dit Zack en lui serrant la main.

– A plus tard, dans la Flotte, monsieur!

Le sergent lui refit un vif salut.

– Ouais, à plus tard dans la Flotte, sergent, et merci encore.

Foley lui adressa un grand sourire. Zack recula de quelques pas, pivota sur ses talons et s'éloigna.

Il fit ses adieux à Byron qui s'embarquait pour Hawaï le lendemain. Puis il assista au départ de Seeger et de Della Serra qui s'en allaient en voiture avec leurs familles. Dans quinze jours, il les retrouverait à Pensacola pour la deuxième partie de leur entraînement. Ensuite il se rendit au baraquement. Perryman était en train de finir ses bagages.

– Bon voyage, enseigne Perryman! lança-t-il.

– Hé, Zack, je n'aurais jamais cru que tu arriverais jusque-là.

– Eh bien, tu vois, moi non plus, je ne te voyais pas...

Ils éclatèrent soudain de rire et se donnèrent de grandes tapes dans le dos.

– Où est-ce que tu vas? demanda Zack.

– A Saint Louis. Ma femme est de là-bas.

– Tu dois être content.

– Ça va être bon de faire une pause. Mais j'ai ce projet dans la peau maintenant. Je ne pense déjà plus qu'à Pensacola. (Il referma son sac de voyage.) Et toi, où vas-tu, mec?

Zack haussa les épaules.

– Encore rien décidé.

Perryman mit son sac en bandoulière.

– Dis donc!

– Quoi?

– Elle m'a semblé être une sacrée chic fille, dès le début. Qu'est-ce que t'aurais à perdre de la revoir?

Le regard de Zack se promena un moment sur le sol bien ciré, les matelas roulés et les armoires vides. Pas pour longtemps, songea-t-il.

– Merci du conseil, mon vieux, dit-il à voix basse.

– Rendez-vous à Pensacola!

Perryman franchit la porte.

– Dans l'immensité bleue des cieux! lança Zack alors qu'il avait disparu.

Il fourra ses affaires dans son sac, puis s'assit un moment au bord d'un lit : il voulait accorder une pensée à Sid. « J'ai réussi, tu sais, vieux frère, murmura-t-il. Je n'aurai sûrement jamais plus un ami comme toi, et je ne t'oublierai pas. Au revoir, vieux. »

Il empoigna son maigre bagage, se leva et quitta lentement le bâtiment désert.

Il était en train d'attacher son sac sur le porte-bagages de sa moto lorsqu'il remarqua une trentaine de civils alignés près du poste de garde. Foley marchait de long en large devant eux en les détaillant d'un air dégoûté.

– Je n'en crois pas mes yeux, criait le sergent. Non, mais regardez vos cheveux! Et vos tenues! Vous avez passé toute votre vie à faire des orgies ou quoi? A écouter Mick Jagger et à déblatérer contre votre patrie?

La nouvelle section éclata de rire et Zack fit démarrer la Triumph. Il l'enfourcha, puis s'engagea sur la route. Arrivé près des nouveaux, il s'arrêta, laissant tourner le moteur au ralenti.

Foley qui lui tournait le dos venait d'apostropher un grand type aux cheveux longs.

– Comment t'appelles-tu, mon garçon?

– Campbell, monsieur!

– Tu viens d'où, Campbell?

– Du Texas, monsieur. D'Amarillo.

– Du Texas? A ma connaissance, il n'y a que deux choses qui sortent du Texas : des ânes et des pédés. Tu as les oreilles plutôt courtes, alors tu dois être pédé, mon garçon.

– Non, monsieur! hurla Campbell.

Zack savait que Foley ne se retournerait pas. Il donna deux petits coups d'accélérateur, passa la première et, à la sortie de la base, il tourna en direction de Port Angeles.

En traversant les vestiaires de la fabrique, Zack s'entrevit dans un miroir. Il avait vraiment belle allure avec son uniforme d'un blanc éclatant et ses galons dorés. Quand il pénétra dans l'usine, les femmes levèrent la tête; quelques-unes lui sourirent. Son visage resta grave. Bon sang, il n'était pas venu ici pour rigoler! Et il n'avait pas l'intention de demander à qui que ce soit où elle était. Il la chercherait et la trouverait tout seul!

C'est Esther Pokrifki qu'il découvrit en premier. De son poste, celle-ci le regarda d'abord d'un air incrédule, puis, bien qu'il ne puisse l'entendre à cause du brouhaha, Zack comprit qu'elle poussait un profond soupir. Enfin elle porta ses deux mains à sa bouche. Zack lui fit un signe de la tête et continua à avancer.

Il souhaitait ne pas voir Lynette; il la reconnut de dos et put passer à côté d'elle sans la regarder en face. Quand elle l'appela, il ne se retourna pas. Enfin il repéra Paula qui empilait des sacs à quelque distance, et il se dirigea droit vers elle.

Elle déposa une pile sur la chaîne et la regarda s'éloigner une seconde. Son œil enregistra bien l'arrivée d'une forme blanche – incongrue en ces lieux – mais elle continua son travail, l'air absent. Soudain, elle sursauta et se retourna. Zack se tenait devant elle. Sa présence inattendue signifiait quelque chose qu'elle ne parvenait pas à comprendre.

– Zack?

– En chair et en os. Salut!

Il lui fit un grand sourire. Elle ôta sa casquette de velours et secoua ses longs cheveux.

– Salut! Alors tu as réussi! (Elle tendait un doigt vers ses galons dorés.)

– Eh oui, j'ai réussi.

– Félicitations! dit-elle en lui rendant son sourire.

– Oh, bon Dieu! fit-il.

– Quoi?

Il haussa simplement les épaules.

– Alors, tu pars pour la Floride?

Elle jeta un coup d'œil nerveux autour d'elle : tout le monde les observait.

– J'étais sur le point de partir quand j'ai compris que j'oubliais quelque chose. (A son tour, il regarda autour d'eux.) Je me suis rendu compte que si je l'oubliais, je risquais de gâcher ma vie.

Paula haussa les sourcils d'un air perplexe.

– Est-ce que tu veux bien partir avec moi? ajouta-t-il.

Elle se mordit la lèvre, baissa les yeux, puis hocha vivement la tête deux ou trois fois.

– Merci.

Il s'avança, déposa deux baisers sur ses joues mouillées de larmes et la prit dans ses bras.

– Hé, dit-elle, qu'est-ce que tu fais?

– Pas la peine de perdre plus de temps, affirma-t-il avec un sourire. On s'en va tout de suite.

Elle attira son visage contre le sien et l'embrassa sur la bouche. Quelques femmes se mirent à applaudir, bientôt imitées par toutes les autres.

— Allons-nous-en, souffla-t-il.

Ils se dirigèrent vers la sortie.

— Tu t'envoles, Paula?

Zack se retourna à demi. Lynette pleurait et souriait en même temps à son amie.

— Je m'envole!

Zack l'entraîna. Une fois au grand soleil, il l'embrassa à nouveau.

— Je crois que je ne me lasserai jamais de toi, murmura-t-il.

— Je ferai de mon mieux pour que cela n'arrive pas.

Il appuya sa joue contre la sienne.

— C'est le plus beau jour de ma vie, avoua-t-il.

— Pour moi aussi!

Editions J'ai Lu, 31, rue de Tournon, 75006 Paris

diffusion
France et étranger : Flammarion, Paris
Suisse : Office du Livre, Fribourg
diffusion exclusive
Canada : Éditions Flammarion Ltée, Montréal

Achevé d'imprimer sur les presses de l'imprimerie Brodard et Taupin
7, Bd Romain-Rolland, Montrouge. Usine de La Flèche,
le 15 décembre 1982
1840-5 Dépôt Légal décembre 1982. ISBN : 2 - 277 - 21407 - 8
Imprimé en France